A E
& I

Olga

Autores Españoles e Iberoamericanos

Luis González de Alba

Olga

Diseño de portada: Roxana Ruiz / Diego Álvarez

Avenida Presidente Masarik núm. 111, 2o. piso
Colonia Chapultepec Morales
C.P. 11570 México, D. F.
www.editorialplaneta.com.mx

Primera edición: marzo de 2010
ISBN: 978-607-07-0354-6

Impreso en los talleres de Litográfica Ingramex, S.A. de C.V.
Centeno núm. 162, colonia Granjas Esmeralda, México, D.F.
Impreso y hecho en México – *Printed and made in Mexico*

A mi madre,
que me contó la historia.

1
Isabel

LAS FAMILIAS ricas vuelven a ser ricas cuando lo han perdido todo, y las pobres siguen siendo pobres en la mayoría de los casos. Los ricos vueltos pobres conservan sus tupidas redes sociales, aun desde el cuarto de vecindad donde guisan sobre anafre de carbón. Los pobres no conocen el camino.

Para quien posee la belleza total, resulta difícil, pero no imposible construir una desgracia insondable. La desdicha llega con los vientos, y más con las revoluciones, pero es también labor de picapedrero, tesón de albañil del aire que labra túneles y eleva puentes hacia muros seductores precisamente por imbatibles. La maldad llega también con los vientos, y más con las revoluciones, y es labor de cerrajero que abre todas las furias del corazón. Más aún cuando el corazón oculta un amor indecible. El punto es que cualquiera tiene un buen pretexto para ser malvado, o tonto o zafio, y, como siempre, está en el pasado.

Olga, con todo y su etérea belleza fuera de este mundo, buscó afanosamente un infortunio que nunca estuvo escrito ni le fue heredado. Su madre, Isabel, era mala como sólo puede serlo la mujer que envidia la belleza masculina de su marido y no lo pasea orgullosa del brazo, sino rumiando rencores y lanzando miradas al sesgo para descubrir que también él mira al sesgo hacia otras mujeres. Y quizá lo hace, como todo náufrago ve con esperanza la roca más pelada.

La belleza de Olga, para dar una idea, era la de un dibujo renacentista, el *sfumatto* de Leonardo en el arco de las cejas y en la curvatura del párpado superior, en la nariz de línea perfecta, tanto como no se ha vuelto a dibujar desde entonces. Con su hermana menor, Matilde, eran semejantes, en grado asombroso, Olga a la Santa Ana y Matilde a la Virgen en el cuadro de Leonardo donde aparece además el Niño Jesús con un cordero, y cada personaje sale de entre las rodillas de su madre, en abanico descendente: Ana, María, Jesús: un ocaso también desde la belleza translúcida hasta el corderito, y que recuerda el parto, disimulado por los pesados pliegues de las túnicas. El color, los párpados, la mirada, la nariz... Olga era la Santa Ana que imaginó Leonardo sin sospechar que los separaban varios siglos.

Cuando Isabel Salinas Cáceres era una joven de doce años, de largo pelo negro y manos pequeñas, no sabía qué era esa opresión suave y lenta que empezaba a crecerle hasta transformarse en un río de lágrimas sin motivo cuando abría la tapa de caoba de su piano. Era siempre la misma desazón, la opresión del olor a humedad, el color indefinible de las cortinas, el aire caliente atrapado en el terciopelo polvoso de los muebles, la música que encontraba aburrida, interpretada mecánicamente y siempre con los mismos errores, sin brillo, muerta; entonces hubiera querido echarse a llorar sobre las teclas del piano, llorar toda la tarde y después tocar una obra desconocida, intensamente dolorosa y plena.

Esa mañana, Ester Cáceres, su madre, la había bañado en la artesa de bronce esmaltado que los criados llenaron de agua caliente. Provista de un camisón de baño blanco, Isabel se dejó frotar por debajo de la tela con una gran esponja de mar y escamas de jabón perfumado de violetas, más cubierta de ensueños que de agua, siempre escasa en su opinión, que nadie consultaba. Envuelta en una enorme toalla afelpada, dejó a su madre maniobrar para extraer el camisón mojado sin que la toalla permitiera, ni por un instante, la visión de su carne desnuda en la que despuntaba ya la adolescencia. Ester había rebasado la cuarentena, pero lucía un cutis firme, algo moreno, y talle muy recto. Se dirigió al armario de Isabel, un hermoso mueble de cedro con aplicaciones de bronce, y eligió uno de los vestidos traídos de París por su hermana Margot Cáceres, porque era día en que se presentaba puntual la maestra de piano. Las hermanas Margot y Ester se llevaban casi veinte años de diferencia porque había en medio otras cinco, que no tendrán parte en esta narración. En total siete mujeres sobrevivientes de catorce partos, cinco varones muertos en sus primeros días. «Todos, los cinco, mis cinco muchachos», repetía la desolada madre cuando adrede conducía la conversación hasta ese punto, que al parecer le interesaba resaltar. Las dos niñas faltantes desaparecían sin mención.

Ambas hermanas eran pequeñas y delgadas, pero daban la impresión de mayor estatura y peso porque pisaban con reciedumbre de mujeres altas. De la enorme prole, eran las únicas que vivían bajo el mismo techo porque Margot, la mayor de las siete, había enviudado muy joven, en los estertores del Segundo Imperio, cuando su marido cayó herido en la defensa del convento de la Cruz, última resistencia de las tropas imperiales en Querétaro contra los republicanos del presidente Juárez, y la falta de cuidados médicos a los guardias del emperador Maximiliano, prisioneros, le ocasionó una muerte lenta pero sosegada por las fiebres. El esposo de Ester era un hombre al que veían poco en casa, perdido en los trabajos de una hacienda enorme, y ajena porque pertenecía a su esposa y cuñadas.

De cualquier forma, las dos hermanas hicieron de los imperios referencia obligada. «Mamá nació durante el Primer Imperio», decían para referirse al año de 1822, que no era nunca un número, sino una coronación en la Catedral, a donde entró el soldado que había logrado la independencia de la Nueva España, Agustín de Iturbide, y salió Agustín I, aclamado por la plebe emperador de México. Un cuadro al óleo mostraba, en el salón principal de la mansión de mármoles blancos, el desfile de los nuevos nobles: marqueses de Loma Pelona, duques del Huizachal y muchos más, saliendo de la coronación y, entre tafetas y terciopelos, una mujer bajita, de cara afilada, en traje de talle alto que los franceses habían lanzado al mundo como *estilo imperio,* y recordaba a Josefina, la de Napoleón. Pero en 1822 ya un poco pasado de moda. La coronación de Agustín I había sido de lo más normal en un mundo en el que todo país estaba gobernado por una monarquía, con la rarísima excepción de los pequeños Estados Unidos, una federación de ex colonias inglesas en la costa atlántica con la estrafalaria idea de elegir a sus gobernantes, como habían hecho los atenienses dos milenios y medio atrás. Los griegos, liberados del yugo turco por el mismo año de 1821, siguiendo las ideas de la época se habían ido a buscar un príncipe de segunda que deseara reinar sobre una Grecia reducida al Peloponeso, algo así como rey de Nayarit y aun sobra. Se encontraron un príncipe en uno de los muchos reinos de lengua alemana anteriores a la integración de Alemania. Las nietas de la chaparrita presente en el desfile imperial habían pegado un óvalo cubierto de hoja de oro sobre el óleo, sin que el arte sufriera demérito alguno, para destacar, entre tanta figura, a la abuela muy oronda, con una banda azul cruzada al pecho y una condecoración en forma de estrella. Por supuesto tenía un nombre, pero aquí no importa para no hacernos bolas.

Margot también tuvo su imperio. Tenía quince años cuando fue dama de compañía de la desdichada emperatriz Carlota. «Durante el Segundo Imperio», declaraba levantando un poco la nariz. Y todo habría ido de perlas, a no ser por el Juárez de marras, «ese diantre de indio levantisco».

Ester condujo a Isabel al salón sosteniéndole la húmeda cabellera en otra toalla seca. Con Isabel sentada al piano, su madre sacó la toalla con cuidado y extendió los cabellos negros hasta que tocaron el suelo. A dos cepillos trabajó el pelo de arriba abajo hasta que no dejó un solo nudo. Mientras tanto, Isabel practicaba su lección. Cuando Ester hubo terminado, sonó una campanilla y, con una reverencia, apareció en el umbral una niña de la servidumbre. Sin necesitar orden alguna buscó un gran abanico de madera calada y con suave brisa olorosa al sándalo de la madera venida de Filipinas, oreó los restos de humedad en la bella mata de pelo y evitó que el calor del día, aunado a los ejercicios de trinos y escalas en el piano, agobiara a Isabel. De cualquier forma, Ester miró con desaprobación la nariz de su hija, algo brillante, fue por una gran caja de polvos de arroz decorada con una gruesa cinta de seda color lila y flores de lavanda, y con una borla tan grande que cubría el rostro entero de Isabel, le empolvó la nariz, sin permitirle interrumpir sus ejercicios. Luego, con saliva, le retiró el polvo de las cejas, la revisó y no pudo evitar un torcimiento del labio inferior: su hija era más morena que lo correcto.

Concluida su clase: la primera página del *Vals poético* de Felipe Villanueva, que la maestra le hizo repetir por una hora, marcándole el ritmo con las palmas hasta que sonó a vals, y repasar *La primera caricia* y *El lago de Como*, Isabel se cambió el vestido por uno hecho en la cercana Tula por la costurera familiar, pero con géneros también traídos de París, tomó su sombrilla y salió al jardín que rodeaba la gran casa blanca de sus padres en la hacienda de Tamaulipas, tan cerca de la frontera con Estados Unidos que iban al río Bravo de almuerzo campestre. Los muchachos hasta se daban un chapuzón para envidia de primas y hermanas que no podían hacer tal cosa. Isabel no conocía más que esa parte de la enorme hacienda en la cual había vivido sus doce años, con esporádicos paseos en verano, el odioso verano, al manantial rodeado de nogales, y tediosos inviernos húmedos que traían lluvias ligeras desde las llanuras de Texas. Sólo en dos ocasiones ella y su hermano gemelo David habían ido con su madre hasta la capital para hacer compras. Pero a su edad aún no le interesaban los encajes belgas ni los bramantes holandeses que su madre Ester y su tía Margot compraban por piezas enteras para varios años de surtido en fundas y sábanas; los manteles y las carpetas que se sumaban a otros en muchos armarios sólo le traían el recuerdo, al verlos aparecer sobre la mesa del comedor después de varios meses, de un viaje fatigoso y polvoriento, aunque viajaran en mullida carretela «tirada por seis caballos del mismo color y con las colas mochas», según repitió durante su vida entera cuando estaba de buen humor. Eran viajes en los que odiaba a su hermano David porque le impedía mirar por las ventanillas provistas de vidrios para evitar el polvo y de cortinitas para evitar el sol, y se perdía el paisaje, aunque no fuera gran cosa.

Ester y Margot eran cuñadas de un coterráneo, Manuel González. El cuñado Manuel había combatido al gobierno del presidente Benito Juárez en un levantamiento conservador dirigido en Veracruz por aquel Miguel Miramón que, años más tarde, moriría al lado de Maximiliano, fusilados en el Cerro de las Campanas. Pero el cuñado Manuel se acogió a la amnistía ofrecida por el presidente y peleó después, bajo el mando de Porfirio Díaz, contra el debilitado Miramón y los ya escasos ejércitos franceses, retirados por Napoleón III ante la creciente amenaza de Prusia. En Puebla, leyeron las hermanas en un diario de Matamoros, el cuñado Manuel perdió el brazo derecho peleando contra los franceses. Sus acciones de guerra, y el brazo perdido, le valieron la comandancia militar de la ciudad de México. La casona de bellos pisos de mármol pronto se enriqueció con una vajilla completa de Limoges, festoneada de pequeñísimas rosas, para cien personas, que las hermanas desempacaron entre gritos de asombro y regaños a la servidumbre que osara tocar un platito. La hacienda adquirió algunos kilómetros más de terrenos.

Al iniciarse el primer periodo presidencial de Porfirio Díaz, el cuñado Manuel González fue secretario de Guerra y Marina. Luego resultó elegido a la presidencia de la República por cuatro años, y caballerosamente entregó el poder de nuevo a Díaz, que se reelegía por la primera de muchas ocasiones: así hubieron de comenzar las sucesivas reelecciones del dictador. Con González se tendieron los primeros ferrocarriles. Ester casi niña y Margot hacia la mitad de su treintena sin que nadie lo notara porque tenía un cutis perfecto, estuvieron entre los invitados que hicieron el recorrido inaugural de la ciudad de México a El Paso, Texas, en tren de máquina empavesada, vagones con guirnaldas y muchas banderas ondeando al aire. Margot siguió siendo la misma, pero Ester levantó desde entonces un poco más la nariz afilada y las cejas de caída tristona. El presidente Díaz le pagó la gentileza al cuñado Manuel con la gubernatura de Guanajuato que, después de todo, es mayor que el Peloponeso.

Uno de los bisnietos habría de escuchar, el 2 de octubre de 1968, al frente de un mitin estudiantil en la plaza de Tlatelolco, que el ejército se acercaba por la calle de Manuel González, sin sospechar el parentesco. Isabel no conoció a su tío Manuel, pero supo desde niña que estaba en la Rotonda de los Hombres Ilustres un tío suyo, presidente de México. El nombre no lo mencionaba, de no ser necesario, porque llevaba un apellido carente de todo refinamiento.

EMPEZABA OCTUBRE, Isabel lo habría podido distinguir sin ver el calendario, únicamente por el aire tenue, ligero y el sol un poco más frío y mucho más brillante; lo sentía en la piel, en la sangre que también le parecía más ligera; en los tonos amarillos y rojos que empezaban a mostrarse y en la suave sombra verde limón en el blanco mármol del portal.

Abrió su sombrilla blanca aunque el sol no calentaba mucho y se encaminó hacia el huerto donde el hijo del administrador ataba los zarcillos azules de los pepinos a sus varas. Era un muchacho de trece años llamado Antonio, Tono le decían. Isabel observó que en los últimos meses había crecido tanto que los pantalones le quedaban cortos y la camisa estrecha.

Bajo los nogales, la sombra malva se fue transformando en un profundo azul, y de las hojas podridas que tapizaban el suelo con todos los matices del marrón, el castaño y las tierras rojizas, ascendía el olor de octubre a queso fermentado.

Cerca de un ciprés, entre un arbusto de flores blancas, distinguió el pelo rubio de Tono que guardaba sus aparejos en la caseta. La veía acercarse sin quitarle la mirada de encima ni por un momento. Isabel sintió la mano del muchacho alrededor de la cintura y enseguida la hermosa cabeza rizada se le recostó sobre un hombro y le besó el cuello. Cuando quiso gritar, Tono le hizo una señal de silencio poniéndole un dedo terregoso sobre los labios. Enseguida sonrió y comenzó a quitarse la ropa. Isabel siguió ansiosa sus movimientos. Cuando estuvo completamente desnudo volvió a abrazarla.

—Se lo diré a mi mamá —sollozó—, y también a mi hermano David.

—¿Qué les dirás? ¿No saben todos que eres mentirosa?

Y se recostó en la hierba alta. A través del follaje de los nogales pasaban pequeños círculos de sol que se agitaban sobre su piel, blanca donde nunca recibía sol.

—Hay arañas —murmuró Isabel.

—No me importa, ya soy grande, ¿no lo ves? Y cuando sea grande voy a casarme contigo —dijo con certidumbre de carbonero—. Mi papá es el administrador... —añadió para darse importancia.

Absorta, Isabel veía el cuerpo delgado de Tono, los círculos de sol en las piernas y en el vello color claro, apenas una pelusa, que empezaba a crecerle. Se resistía a contemplarlo abiertamente, a pasar su mano sobre aquel escaso vello que parecía tan suave. El muchacho la miró un instante, cerró los ojos y ladeó la cabeza.

A la muerte del padre de Isabel, a quien ella apenas recordaba, la vida de la hacienda se había contraído a los alrededores de la casa y las instalaciones principales. El huerto siguió siendo cultivado y lo mismo los campos cercanos, que eran muy extensos y producían magnifico algodón; pero el aserradero de la colina y los bosques fueron abandonados. Sobre las grandes sierras empezó a crecer una gruesa capa de óxido rojo que lentamente adelgazaba el metal, los techos se vinieron abajo en poco tiempo y entre las herramientas las hormigas mordían la hierba que cada nuevo verano crecía más alta.

La viuda Ester Cáceres siguió llevando la casa como había hecho siempre, con la misma disciplina que ni su marido quebrantaba. Se había llamado Francisco Salinas y nunca permanecía una semana completa en su casa. Le molestaban las alfombras, las carpetas y los juegos de sus hijos. Sólo por Isabel mostraba una gran debilidad. Pasaba las tardes jugando con ella y con frecuencia iban a caminar. Pero pronto tomaba de nuevo sus botas y ensillaba él mismo su caballo; ponía el machete y el rifle al costado de la silla y salía seguido por dos empleados suyos, a los que no permitía, durante su estancia en la casa, desempeñar ninguna clase de trabajo doméstico. Uno, Antonio, eficaz ayudante en la administración de la hacienda, era el muy joven padre de Tono, de otro mayor, Pancho, que deseaba ser militar, y de dos niñas con la edad de Isabel. Se apellidaba Gallardo y hacía honor a su apellido. Cuando Francisco Salinas y sus dos muchachos terminaban de empacar, se despedía de Ester con una mano al aire sin dar fecha para su regreso.

Pero un verano en que el calor fue especialmente intenso, se le secó la sangre, según dijeron. Llegó del aserradero ayudado por Antonio y media docena de criados, casi ciego por la fiebre. Se tiró en su cama y la fiebre siguió subiendo. Todas las tardes lo sumergían en una bañera de porcelana blanca que llevaban hasta su recámara y llenaban de agua fría. Así estuvo durante tres semanas, pero la fiebre no dejó de subir, perdió el conocimiento y pronto la sangre se le secó por el calor que lo consumía por dentro y en las venas sólo le quedó un polvo amarillo.

Ester contrató para Isabel una maestra de piano por la que enviaba al pueblo una ligera tartana de un caballo y un cochero que llevaba gabán de los que llamaban «carric» tanto en los meses de lluvia como en los fríos. También puso al servicio de su hija una jovencita, hermana de la cocinera, que lo mismo la peinaba y ayudaba a bañar, que mecía con un cordón de seda el abanico del techo cuando Isabel iniciaba las largas sesiones de escalas y arpegios en el piano durante las calurosas tardes del verano.

El joven David Salinas, gemelo de Isabel, se instaló en la capital del estado para estudiar Derecho y ésta fue una ausencia a la que Isabel nunca se sobrepondría.

La hacienda, al contrario de la casa, donde todo siguió igual, se achicó. Los extensos campos que a caballo no se atravesaban en dos días, se apretaron en torno a la casa principal. Más allá quedaron las sierras enmohecidas, los campos sin cultivar y las laderas de los montes cubiertas de pinos y cedros que nadie echaba a rodar retumbando cuesta abajo hasta los filos dentados que llenaban el aire de astillas y de un ruido estridente y agudo. Los empleados pasaron el río cercano, rumbo a Texas.

Esa mañana de octubre definitivamente había empezado el otoño. Isabel lo sentía en la piel, le penetraba por los poros el sol brillante y frío, el aire ligero, sin los vapores pesados del verano; la atmósfera nítida, intensamente azul. Sobre los blancos del paisaje podía verse un amarillo deslumbrante que era el mejor anuncio del otoño, el que Isabel mejor conocía, salvo el olor. Descubrió las primeras flores amarillas en los campos segados, los mismos girasoles silvestres de todos los años, sobre la misma alfombra de frágiles flores moradas que surge de pequeñas estrellas blancas pegadas al suelo.

A su regreso, Isabel tuvo la impresión de algo que se pierde para siempre y cogió la reja como si fuera suficiente su acto para detener ese nuevo otoño, esa luz, el olor del aire que penetra puro y claro, con un lejano matiz de hierba seca y quemada, ligero como en ninguna época; tal vez ése era siempre el primer indicio del otoño, antes que la luz especialmente limpia, antes que los juegos de amarillos sobre la fachada blanca de la casa, antes que el verde tierno en las sombras de su vestido blanco, era esa impresión tan conocida y llena de melancolía, de salir una mañana y encontrar cambiado el aire, tenue y algo fresco. Con la mano en la reja comprendió que terminaría ese otoño y otros muchos, y pronto ella no sería más que un recuerdo, un vestido blanco que desaparece, el relámpago de una sombrilla bajo el sol, el daguerrotipo ovalado de una jovencita extrañamente vestida, anticuada, borrosa y desconocida. Miró en torno de ella oprimida por la nueva atmósfera y los nuevos olores que precisamente esa mañana habían llegado con David, su hermano, que, como ella, acababa de cumplir diecisiete años.

David salía a su encuentro cuando Isabel corrió hacia él. Lo abrazó llorando, sin que el joven preguntara el motivo ni hiciera otra cosa que pasar su mano por el pelo negro y larguísimo de su hermana. Creía saber el motivo del llanto, pues a él le sucedía algo semejante. Estuvo contando los días que faltaban para salir hacia la hacienda y reunirse con su madre, su hermana y su tía. Cuando llegó ya habían languidecido los matorrales nacidos con las lluvias del verano, tenían un color negruzco y no se veían insectos ni lagartijas verdes. Pero esa mañana todo había cambiado definitivamente y no podía ser otro el motivo del llanto de Isabel. David abrazó tiernamente a su hermana, sonrió y le secó las lágrimas.

—Vamos, ya está bien, te pondrás fea.

Isabel volvió a hundir su cara en el pecho de David y soltó de nuevo el llanto. No podía explicarse, no podía decir necedades como «todos nosotros, tú y yo y mamá que es tan bonita, todos nos volveremos viejos y luego moriremos y se acabará la casa, todo terminará, pero seguirá igual ya sin nosotros». Eso no se dice porque lo sabe todo el mundo. David era, tal vez, el único que comprendía, sin mediar palabra, la desolación y la inmensa pena de su hermana.

PRIMERO DESAPARECIÓ Tono Gallardo, que ya había comenzado a rasurarse la barba escasa para presumir en la plaza los domingos frente a las muchachas sentadas comiendo helados, y durante varios días nadie regó las violetas que enmarcaban los caminos de arena; después todos los peones con sus mujeres. Familias enteras abandonaban sus casas y se internaban en el monte con sus hijos pequeños a cuestas y una pistola vieja o un machete, atemorizados por la leva obligatoria que practicaban Villa y sus dorados.

Un día aparecieron los villistas y lo incendiaron todo. Bajaron de los montes hasta el aserradero abandonado y de allí salieron para prender fuego a los cobertizos y saquear las casas. Isabel y toda la familia, conducidas por Antonio Gallardo padre, que no había huido, se refugiaron en un poblado vecino que pronto cercaron los dorados. Unos cuantos hombres lo defendieron durante dos días, pero al amanecer del tercero los villistas entraron a galope por las calles empedradas, disparando al aire y contra las ventanas.

Una multitud de hombres a pie, con palos y machetes, y finalmente un denso grupo de mujeres y niños ocupó las plazas, las calles, las casas vacías de los señores. Por la noche, sin más luz que la de las hogueras y los incendios lejanos, se oían llantos de niños y súbitas peleas por el botín.

Quince días después, el poblado fue volviendo a una cierta normalidad. Los villistas se dirigían al oeste, hacia Coahuila. Antonio Gallardo salió del tonel donde había pasado esas dos semanas, con un color verdoso y un olor fétido que tardó mucho en desaparecer. De Tono, su hijo, nadie sabía ni lo habían visto entre los villistas. El otro hijo, Francisco, estaba en la ciudad de México haciendo exámenes para entrar al Colegio Militar.

Isabel y David vieron agonizar a su madre en un cuarto con piso de tierra, no a causa de los alzados en armas, sino de un viejo y doloroso cáncer femenino para el que nunca había consultado un médico por vergüenza al necesario reconocimiento íntimo.

El final se retrasó terriblemente y durante varias semanas Margot lavó a su hermana sin desnudarla, pasando una esponja húmeda por abajo del camisón mojado en sudor. El vientre estaba inflamado, el rostro transparente y la nariz afilada. Comenzaba el mes de enero y el frío era muy intenso. Por las mañanas la escarcha crujía bajo los pies de Isabel mientras iba temprano a conseguir una poca de leche, único alimento que el cuerpo sin descanso de Ester aún toleraba.

Lo peor era la noche, cuando los gemelos escuchaban los prolongados gemidos de su madre. La entereza de Margot comenzó a decaer, a veces le era necesario salir al estrecho pasillo oscuro y sollozar un momento sofocándose con un pañuelo. Luego regresaba con aire eficaz a poner las inútiles compresas frías que no tenían otra finalidad que la de dar trabajo a los vivos. Margot enterró a su hermana y se instaló en el pueblo, sin consultar a nadie llevó consigo a su sobrina Isabel y a las dos hijas menores de Antonio Gallardo, Pila y Licha.

Con su carrera truncada por el cierre general de escuelas y universidades, y en la miseria luego de perder la hacienda, David consiguió empleo en la tienda de un español que le permitía dormir allí mismo, lo que hacía vestido y envuelto en una cobija. No necesitó de profesión alguna para otear los vientos de la ola revolucionaria y dejó pronto de dormir bajo el mostrador del español para seguir a los triunfadores y no estar nunca en el lugar equivocado al momento en que los alzados comenzaron a matarse entre sí. Cuando Carranza fue asesinado en el tren camino a Veracruz, David permaneció en México haciendo pequeños trabajos para Obregón. Cuando Obregón fue asesinado, David hacía tiempo que realizaba pequeños trabajos para Calles. Cuando Calles fue echado del país, David estaba en el bando de Cárdenas. Pronto fue tesorero de la Cámara de Diputados, vitalicio aunque eso no se mencionara en nombramiento alguno, por encima de cambios en la Presidencia y renovaciones de la Cámara. Ya anciano, el cargo lo heredaría su único hijo varón, que tampoco hace falta en este relato. Sólo diremos que salió en extremo engreído, sin que nadie supiera bien a bien de qué.

Treinta años después, David reconstruyó en las faldas del Popocatépetl nevado la hacienda norteña quemada por los villistas y repartida por la Revolución, un experto japonés le diseñó y cuidó extensos cultivos de flores para exportación. Con incubadoras alemanas se inició en la crianza de gallinas de muchas razas, raras algunas, como la que tenía plumas en las patas. Pinos, encinas, arroyos fríos bajados de la nieve derretida, un hermoso chalet con pisos de madera y gran chimenea central: a eso lo llamó Popo Park. En las orillas de la capital, David adquirió un gran terreno arbolado al que hizo levantar altos muros de piedra. Allí cupieron las cuatro casas de sus hijos y, en medio, patriarcalmente, la suya. Su buen salario no explicaba esas posesiones.

2
Eugenio

AÚN GUARDABA medio luto, transcurrido el año de luto riguroso, cuando Isabel con las Gallardo, Pila y Licha, a las que llamaba primas, dieron uno de sus primeros paseos en torno a la plaza del pueblo, un domingo por la tarde, en carretela descubierta de dos caballos, uno pinto y otro alazán. Viéndolos comentaría Isabel por primera vez en su vida, y lo repetiría centenares:

—Mi madre tenía caballos del mismo color y con la cola mocha.

Y lo dijo bien, porque eran de su madre, no de su padre, un hombre trabajador que moriría joven y nunca más lo recordaría Isabel, cuyas nostalgias hasta su vejez estarían ocupadas por la madre, altiva y de luto más de una década por su cuñado, «el presidente de la República», como respondía siempre cuando le preguntaban el motivo del permanente luto. Y si no le preguntaban, ella inducía la pregunta con alguna referencia a lo mal que le sentaba, para su salud, la ropa negra.

Regresaron de prisa porque se oyeron caballos lejanos, cerraron el portón de la casa y un criado pasó la tranca que sólo un cañón podría vencer. Una vez avisadas de que era un regimiento de caballería, salieron al balcón aturdidas por emociones encontradas y semicubiertas por abanicos. El oficial al mando de la tropa, de magnífica estampa realzada por el uniforme y los bigotes retorcidos hacia arriba, saludaba con el sable desenvainado al pueblo que aclamaba a los soldados. Levantó los bellos ojos sombreados hacia el balcón lleno de muchachas que se abanicaron más de prisa, descubrió los ojos profundamente negros de Isabel, se tocó ligeramente el kepí con bizarría y les envió una sonrisa entre los bigotes castaños que cada una guardó para sí misma. Iba dirigida a Isabel y el oficial de caballería se llamaba Eugenio Monteros: se habían abierto las puertas del infierno y sus llamas alcanzarían varias generaciones.

Esa noche, en una ventana enrejada del piso bajo, apareció una carta dirigida a la señorita Isabel Salinas Cáceres, firmada por el teniente de caballería Eugenio Monteros: «Señorita de todos mis respetos...» Su desgracia la había escrito con buena letra y hermosos rasgos.

Una semana estuvo acampado el batallón de Eugenio y cada una de esas noches se vieron a través de la misma reja que había recibido la carta amorosa, él le besaba los dedos y ambos intercambiaban frases hechas al respecto del amor, ella sacaba a relucir los bienes perdidos, él su defensa de la legalidad. Algunas veces, Isabel abría el piano e interpretaba algunos valses de moda, *El lago de Como* y su mejor repertorio. Eugenio podía escuchar desde la reja de la ventana. Total, de ellos mismos nada. Por la mañana temprano, Isabel encontraba, con ansiedad creciente, una nueva carta escrita por Eugenio apenas regresando al cuartel.

En ese prolongado intercambio epistolar, entre cursi y frío, hecho de frases que podían aplicarse a cualquier otra persona amada, como copiadas de libro para enamorados, Eugenio había ofrecido a Isabel pocas intimidades. Una de ellas fue que su familia lo llamaba cariñosamente «Geño» porque su hermano menor, cuando ambos eran niños, no lograba pronunciar «Eugenio» y lo acortaba en «Geño». En adelante, Isabel así dirigió sus respuestas, con ese diminutivo afectuoso.

El batallón salió hacia el centro del país y durante tres largos años Eugenio e Isabel no tuvieron más contacto que sus cartas. En una, Isabel le relata un sueño: le dice a su adorado teniente que, desde la muerte de su madre no ha podido dejar de llorarla, pero que la noche anterior la soñó: llegaba su madre Ester al lado de la cama y le suplicaba: «Hija, ya no llores ni sufras tanto por mí, no me dejas ser feliz en donde estoy, te voy a dar un abrazo de despedida para que ya me dejes de llorar». Isabel despertó dando gritos y afirmando que su madre la había abrazado. Su tía Margot hizo voltear la casa de cabeza, convencida de que un hombre se había deslizado hasta el dormitorio de Isabel. A nadie encontraron, pero la vigilancia de Margot a su sobrina fue desde ese momento insufrible.

El teniente, con esa carta en las manos, y a su vez huérfano desde los siete años, se dijo, como caballero, que debería ir a salvarla. El general a cargo le negó el permiso necesario para ir a casarse en plena revolución y en el norte, asolado por Pancho Villa; pero la insistencia de Eugenio acabó por sacarle un escaso permiso de cinco días. Envió un telegrama anunciando que tenían poco tiempo para casarse. Antes de llegar al pueblo, alquiló un vestido de novia y ante Isabel desató el lazo blanco de la caja, separó el papel de seda y sin más palabras le mostró vestido, velo y azahares.

Entre gritos de júbilo, Isabel corrió a probarse, auxiliada por Pila y Licha Gallardo. Su tía entró después a dar el visto bueno. Luego se quitó el traje de novia y lo dispuso con todo cuidado en la misma caja. Con el hermoso vestido que se había puesto para recibir a Eugenio, salió resplandeciente de alegría, seguida por Margot que trataba de ocultar su tristeza con una sonrisa algo forzada.

—¡Geño! ¡Me quedó pintiparado! ¿Cómo acertaste tan bien a mi talla?... Un poquito flojo de aquí —y señaló la cintura—, pero con el lazo se arregla.

—Creí que te lo vería...

—Eso jamás: no me lo verás hasta que me entreguen frente al altar. Pero, dime cómo pudiste adivinar tan bien mi talla.

—Tus medidas las he traído en el alma por estos tres años —dijo con tono algo socarrón Eugenio mientras besaba, ceremoniosamente, los dedos de la mano a la novia y se inclinaba ante la tía.

Se casaron un 16 de septiembre y por eso mismo llegaron en coche a la iglesia siguiendo al desfile militar y la banda de guerra.

Si el noviazgo de Isabel Salinas Cáceres con el teniente Eugenio Monteros había sido por carta, a la ceremonia eclesiástica no siguió mucha celebración porque el país, hundido en la lucha entre facciones políticas, eso a lo que luego pondrían mayúscula, la Revolución, no permitía sino un breve permiso a las tropas federales, y nadie sabía si en plena fiesta volverían los villistas echando bala, raptando a las invitadas y matando a los invitados.

No llegaron los villistas, pero sí el alquilador del vestido de novia, a recogerlo como estaba estipulado. La niña mimada no daba crédito a lo que oía y estalló: antes de cumplir 24 horas de casada, la vio Eugenio, aterrado, en todo su esplendor, su primera tormenta de insultos, llanto, hipo, ropas desgarradas y caída final al suelo en ataque de histeria con sacudidas.

La madre de Eugenio había muerto de fiebre puerperal

tras el nacimiento de un segundo hijo, Ignacio. El padre, un hombre alto, gordo, bigotón y de pelo castaño claro, volvió a casarse y los niños pasaron a vivir con una tía. Del segundo matrimonio tuvo una sola hija. Volvió a enviudar el padre de Eugenio y para terceras nupcias buscó a una mujer beata, fea, flaca y mala, con la que procreó cuatro hijos. Los anteriores, entre ellos Eugenio, se criaron a la buena de Dios, con el rechazo de la madrastra, el mucho cuidado de viejos sirvientes y el poco de la tía. Al ofrecer un brazo firme a Isabel, Eugenio estaba aliviando su propia orfandad.

Después de su matrimonio con Eugenio Monteros, Isabel dejó la casa de su tía Margot, rodeada de naranjos. Había logrado rescatar su piano y seguir dando empleo a la joven que la atendía desde su niñez, pues le resultaba imposible lavar y peinar aquella mata de pelo negro que le llegaba, como ella diría en su vejez: «Hasta el huesito de los tobillos». Siguió a su marido tan de cerca como podía, al azar de los ataques y las respuestas de los bandos en pugna.

Eugenio, en sus breves permisos del frente, tomaba a Isabel entre sus brazos y la depositaba con tierno ademán sobre la colcha de muselina blanca que ella empacaba en cada mudanza, se dejaba las bien lustradas botas de montar propias de su uniforme, y colgaba su chaquetín verde y su kepí, ya de teniente coronel de caballería, en el perchero, arrojando la camisa al piso. Desde la noche de bodas, antes del infausto reclamo del vestido blanco alquilado, la dureza de sus brazos disgustó a Isabel y el vello áspero del pecho le irritaba los pechos. Lo rechazó. Eugenio asumió con una sonrisa el rechazo y la miró largamente, entrecerrando los ojos de hermosas pestañas y cejas acordonadas.

Isabel se instaló en Saltillo porque las tropas de Eugenio combatían en el norte, y allí nació un primer hijo que habría de vivirle poco. El regimiento fue movilizado más al sur e Isabel buscó alojamiento en San Luis Potosí, donde Eugenio le recomendó instalarse porque tenía familia. Hum... no, no le recomendó, porque él lo que recomendaba a Isabel era buscar la relativa seguridad de su tierra, en casa de su tía Margot. Pero, de imaginarlo lejos Isabel no sentía celos, sino lobos aullando en su pecho y no quería oír de alejarse de Eugenio, sólo su arraigada conciencia de clase le impidió ir detrás de su teniente coronel a las batallas como una soldadera de revolucionario, además ni siquiera sabía echar tortillas, se dijo. Y Eugenio era un federal, así que recibía *rancho.* No del todo malo el de los oficiales. Pero con cada movimiento de tropas Isabel buscaba acomodo en la ciudad más próxima al frente de guerra. Así llegaron a San Luis Potosí.

El hermano de Eugenio, Ignacio, rubio como un vikingo y guapo, abogado de profesión, se había alistado entre las tropas del gobernador de Coahuila, Venustiano Carranza, único asidero de la ley en aquella tremolina iniciada con el levantamiento en armas de Emiliano Zapata, en el sur, contra el recién elegido presidente Madero, cuyo gobierno no cumplía aún el mes luego de las primeras elecciones intachables tras de treinta años de Porfirio Díaz y su maquinaria de armar fraudes con los votos, cuando ya había debido enfrentar la traición de Zapata.

Pero el ejército federal ya no defendía al presidente Madero, sino a quien lo había asesinado, un general de apellido Huerta. Así que Eugenio se vio en un conflicto moral: con el presidente asesinado, el ejército llevaba años al servicio del golpista Victoriano Huerta, llamado el usurpador.

El conflicto se lo resolvería el destino. Un ataque de los carrancistas sembró de cadáveres la ciudad de San Luis y los federales fueron derrotados. Se instaló un gobierno revolucionario en la ciudad y como primeras órdenes mandó fusilar federales. Isabel, como tantas mujeres, buscaba a su marido entre cadáveres y moribundos de ambos bandos. Eugenio, en fuga con los restos de su destacamento, pasó frente a la casa de un tío suyo, de apellido Colunga, a quien pidió refugio, lo admitió el tío Colunga con gran riesgo. Y mientras se preguntaban si Eugenio podría eludir por la noche las patrullas de los triunfadores, entró un sirviente a prevenirlos acerca de un piquete de revolucionarios que revisaba casa por casa en busca de federales ocultos. El tío Colunga metió a Eugenio en un cesto de ropa sucia y abrió la puerta. Para su sorpresa, al abrir se encontró con que los revolucionarios iban comandados por su otro sobrino, Ignacio. El tío Colunga reaccionó con prontitud y pidió a Ignacio que entrara sin soldados. Al fin eran tío y sobrino y el pretexto era beberse un mezcal a la salud de la revolución que acaba de tomar San Luis. Condujo a Ignacio al fondo de la casa, hasta el cesto de ropa y lo destapa. Los hermanos se abrazan y lloran. Pero el asunto es grave. Ignacio es muy claro:

—Carranza es el gobernador constitucional de Coahuila, representa la ley en estas confusiones. Quizá hayamos estado tú y yo enfrentados, en trincheras enemigas, Eugenio, en la misma batalla, y un hermano pudo matar al otro.

Y años después descubrirían que así había sido: en la toma de Torreón habían estado frente a frente sin saberlo.

—Es una traición, Nacho. No puedo desertar, mi hermano... Soy militar de profesión. No, Nacho... olvídalo... Es un asunto de honor. Ni siquiera deberías pedírmelo. ¿No te das cuenta? Va mi nombre, que es el tuyo también, mi juramento militar de por medio.

—Tú juraste defender las instituciones de la República, Geño. En ese juramento iba tu honor de hombre y de militar. Ahora estás con quien las pisoteó, con un militar golpista y asesino, un usurpador en la presidencia es lo que defiendes, hermano, un borrachales criminal, asesino del presidente Madero y de Pino Suárez. Tu obligación terminó con el asesinato del presidente hace ya… ¿cuántos años?...

—Van para cuatro…

—La gente está cansada, Geño, los *pacíficos* son mayoría en el país, y con mucho, en todas las regiones; cada vez se defienden con mayor ahínco de las levas obligatorias, se esconden de todos los grupos: que federales, que carrancistas, que obregonistas, villistas, zapatistas en el sur… Los *pacíficos* no entienden y de todos huyen… Villa es un matasiete, ya sabes cómo se las gasta. Carranza es gobernador constitucional. En esta tremolina es el único asidero de la ley. ¿Y sabes, por cierto, quién está con nosotros? Tu compañero del Colegio Militar, Otilio Zubieta, ¿recuerdas a Otilio?, chaparro y feo, tu condiscípulo. Creo que Otilio será uno de los próximos generales nombrados por Carranza… Y mira, Geño, si en mi lugar hubiera venido otro militar, te fusilan. Piensa en tu mujer y en tu hijo… Te propongo algo… que te rindas ante mi general Treviño, eso significa tu baja como federal, y conservas tu nombramiento como teniente coronel, pero revolucionario.

Eugenio se rindió. Quedó en su expediente la rendición en la derrota, no la convicción revolucionaria, y jamás obtendría un nuevo ascenso en el ejército. Años después, le valdría una «pensión» vitalicia… de 3 pesos diarios.

Siempre unos pasos detrás de él, Isabel lo siguió sin llorar, sin comprender por mucho tiempo que su vida había cambiado totalmente, hasta el día en que pudo darse un baño. Esa vez, el pelo que le llegaba hasta los tobillos se le enredó en una masa compacta, resistente a cualquier peine, pues no supo cómo habían hecho siempre su madre y su nana para arreglarlo. Eugenio se lo cortó casi hasta la raíz, en donde comenzaban los nudos, con el espadín que guardaba con su uniforme, ahora que iba de carrancista. Entonces lloró Isabel por primera vez la muerte de su madre, su orfandad, su pobreza, su terrible soledad en medio de una tierra árida, hostil, cruzada por trincheras.

Luego el hambre la dejó sin leche. Desesperada acudió en San Luis a una tía segunda, Ramona, a la que llamaba tía Ramo, mujer que había conservado su casa, grande, aunque no notable, y vendía leche de unas pocas vacas que había logrado salvar. Le pidió un medio vasito para su hijo, amamantado por una nodriza, un alma caritativa dueña de un puesto de fruta y con leche suficiente para su propio hijo y el de Isabel. La tía Ramo responde: «Mira, Isabelita, toda la leche la tengo ya acomodada... pero ahora mismo llamo al peón que me cuida la huerta para que te corte un buen ramo de hierbabuena y le hagas un tecito a tu hijo, es muy saludable».

El niño, llamado Eugenio como su padre, no murió de hambre. Enfermó de meningitis y en veinticuatro horas Isabel lo velaba, sola, emitiendo un ruido seco que a ratos se abría en un bramido ahogado.

Pero con el cambio de Eugenio al bando revolucionario, llegaron buenos tiempos. Se instalaron en Saltillo, a donde enviaron a Eugenio como pagador de las tropas. Luego de otro parto desafortunado, una niña muerta, nació Olga y desde los primeros meses mostró una belleza nunca vista. Eugenio le compraba muy buena ropa a su mujer para aplacar sus accesos de celos, sombreros y zapatos a la moda, bolsos, medias. Pero no lo conseguía y debía ir a las mejores fiestas de Saltillo solo, mientras Isabel guardaba sus ajuares en roperos llenos y rumiaba venganzas. Hasta un piano de cola le compró que, le informaron, había pertenecido a la emperatriz Carlota, dato quizá falso, pero de caoba con incrustaciones de nácar.

No siempre la pasaban mal. En los días claros de esa vida hubo tardes azules en que Isabel tocaba la *Serenata* de Schubert y canciones populares, Eugenio las cantaba con voz entonada, de pie con su peso en una pierna y la otra exenta, una mano bajo su botonadura dorada y otra mano llevando el ritmo. Eugenio daba inicio a la *Serenata,* luego de los cuatro compases introductorios, que Isabel leía correctamente, punteados: «*Suave fluye mi canción/En la noche hacia ti.../El rigor de mi fortuna quiero lamentar/...Soñarás que fiel te adora/quien infiel nació...* Isabel lo acompañaba diciendo con rapidez las notas: había tenido buen solfeo: lasi, larèee, la, sol-la, solrée, sol, laaa... Luego, más apegado al original alemán, seguía Eugenio: «*¿Oyes cantar al ruiseñor?/Ah, te suplica,/Con sus notas y dulces lamentos/Te suplica por mí...* Subían a la pequeña Olga a la tapa del piano de cola para que, sin zapatos, bailara a su aire, y lo hacía con gracia y ritmo.

—Cuidado con el florero, hijita... Lo rompes y luego nomás pones tu cara de fo.

—¿Y qué cara es esa? —preguntó Eugenio.

—A ver... di «fo».

—Fo.

—Pues ésa, nomás mírate en un espejo cuando digas «fo».

—Yo me lo sé de otra forma —respondió Eugenio riendo—: cara de burro chiquito... «Luego pones tu cara de burro chiquito...»

—También, Geño, también así lo digo. ¿Seguimos? A ver, desde «¿Oyes cantar al ruiseñor...?»

—Isa... Veo un tresillo al inicio, ¿no será: lásila réee...? Junto ese lásila... un solo tiempo, ¿no?

—Claro, Geño, has de saber más solfeo que mi maestra.

—Para nada, para nada… sólo fue una duda, cariño.

—Hum… Sí, es un tresillo —dice poniendo atención a la partitura—, pero la interpretación va así: lasi, laréeee, de no ser así, la letra no entraría bien… e-el rigooor, de miii fortuuna…

Eugenio pensó que la letra original estaba en alemán y por eso poco importaba si ajustaban bien o mal las sílabas y acentos en español, pero ya no dijo más. Por la ventana entraba una tarde espléndida y azul.

La joven pareja nunca pensó en comprarse una casa. Llenaron una petaquilla de billetes emitidos por diversos bandos revolucionarios y por estados de la Federación. Cuando, con el inicio de la paz, se estableció la moneda nacional, ya no tuvieron valor alguno. Los llamaban *bilimbiques* y eran basura. Quedaron en la miseria.

POCOS MESES después de que el gobernador militar del estado ordenara el cierre de la universidad regional, David Salinas agradeció al español su breve empleo, que lo había salvado del hambre, y llegó a México en posesión de un apellido hostil. Trabajaría como redactor de *Pluma Roja,* periódico de la Casa del Obrero Mundial.

Antes de partir hacia la capital quiso encontrar la tumba de su madre y trasladar el cuerpo a la cripta de la familia, pero él mismo no tenía sino una vaga idea. Recorrió a pie el corto trecho hasta el casco de la hacienda y pronto estuvo en los campos que había conocido tan bien. Estaba frente a las paredes demolidas de su casa, una parte del segundo piso aún no caía y era donde había estado su dormitorio. Desde el jardín cubierto de maleza podía ver el empapelado de las paredes, los ramos de pequeñas flores blancas que se repetían desde el piso hasta el techo, atados con cintas azules, y que durante tantas noches sin sueño había seguido, observando cómo una cinta salía para atar el siguiente ramo; así por toda la pared, mientras en la oscuridad las cortinas tomaban formas extrañas, misteriosamente inmóviles al fondo de la alcoba. Ahora todo estaba al sol, el empapelado y partes del piso. Desde el sitio en el que estuvo el jardín, parado sobre una porción de arena que debió formar parte de un sendero, podía distinguir el dibujo del papel tapiz ahora descubierto, al aire, mojado por la lluvia, comido por el sol, de color más pálido, pero todavía el mismo que veía cuando escuchaba a su madre subir las escaleras y entrar sigilosamente, con un rectángulo de luz sobre la alfombra, para cerciorarse de que estaba dormido, y él cerraba los ojos. Así pasaba un rato, hasta que escuchaba alejarse el rumor del vestido de su madre. Entonces abría los ojos y encontraba frente a él los círculos de flores blancas, lechosos, esfumados por la penumbra y, haciendo un esfuerzo, podía seguir el dibujo de las cintas azules. Vistos desde el jardín eran los mismos, tapizando aquel pedazo de muro que pronto caería también y no quedaría más que su recuerdo, al menos mientras David Salinas, de veintidós años en ese momento, viviera.

David se dio vuelta con enorme esfuerzo y empezó a caminar lentamente, tratando de pensar en el presente y en su futuro trabajo como redactor de *Pluma Roja.* Le gustaba ese título, y también el de Casa del Obrero Mundial; pero frente a él sólo veía, nublado por las lágrimas, al niño que abrazaba a su madre, y la silueta joven de ella, joven y viva. Y pensó que en algún lugar cercano se encontraba ahora, oculta por la tierra, desconocida, ajena, esa figura tan esperada y amada.

3
Payo Obispo

EUGENIO MONTEROS tenía unos bigotes castaños y unos ojos verde claro con el brillo de botas bien lustradas que habían llenado por completo el vacío corazón de la huérfana Isabel Salinas, desertada por su infancia en medio del olor a pólvora y a cadáveres. La madre muerta, la casa quemada, el hermano lejos, la cabeza rapada porque el cabello se le había enredado en cuanto faltó la mano diligente que pasaba el cepillo mientras Isabel ejecutaba sus prácticas de piano. Fue Eugenio todo en uno: padre y madre, hermano y hogar, fue las tierras perdidas y los carruajes robados por los diversos bandos revolucionarios; pero, sobre todo, Eugenio fue un grueso par de piernas, altas y fuertes, que la levantaron en vilo, girando en plena plaza de Linares, para asombro de las primas con quienes saboreaba natillas a la sombra de un nogal oscuro y enorme a los pocos meses de casada.

El matrimonio trajo a Isabel la certeza de que ahora tenía un buen motivo de zozobra cuando oía silbar las balas y tronar los cañones lejanos. Era reconfortante esa angustia luego de no haber tenido ya ningún motivo de pena, nada más que perder porque lo había levantado todo el vendaval: madre, mansión, riqueza, servidumbre; pero ese duelo le atenazó el corazón hasta ennegrecerlo. Siempre se tiene un buen pretexto para la maldad y ella lo tenía amplio. Cada ausencia de Eugenio era volver al derrumbe de su mundo, estar de nuevo ante su hermosa casa solariega incendiada, su madre moribunda sin auxilio alguno, en el suelo de tierra apisonada de una cabaña de jornaleros. La orfandad renacía en cada ausencia del bien plantado teniente Monteros que combatía a los villistas luego de llevarla al altar con un traje de novia rentado.

Perdieron un hijo en San Luis Potosí. Un varón. Luego una niña que nació muerta, enredada en su propio cordón umbilical tras de ocho horas de labor sin asistencia alguna porque la única comadrona de Casas Grandes, donde estaba acuartelado el teniente, había muerto de tifo con varias decenas más de adultos y niños. Luego de años de guerras civiles habían aparecido las epidemias; después, la ruina de las minas anegadas por falta de bombeo; luego el hambre porque las grandes haciendas habían sido quemadas y la tierra ociosa no tenía dueño o los nuevos dueños no tenían semilla ni yuntas para barbechar porque los alzados se habían comido los bueyes y robado los caballos y las mulas. El reparto agrario tardaría aún otros diez años, pero, salvo excepciones, como después la zona de la Laguna con sus inmensos algodonales, sería de cualquier forma un desastre económico porque la superficie cultivada apenas alcanzaría una fracción de las tierras labradas antes de la revuelta por «Tierra y Libertad». Ni tierra ni libertad, porque el nuevo régimen no admitía discrepancias ni sindicatos independientes ni otros partidos políticos como no fuera el oficial, que se llamaría PNR en unos años: la coalición de los revolucionarios cuya finalidad era impedir que se siguieran matando entre sí.

Isabel atribuyó las dos muertes a Eugenio. Una porque la había arrastrado tras de él hasta San Luis. La otra porque sí, porque era castigo de Dios, porque Eugenio se lo merecía, porque no era digno de ser padre, porque su blanco vestido de novia ni siquiera había sido suyo y debió devolverlo al día siguiente. Ella transformó el rencor por los niños muertos y el vestido rentado en un mazo que esgrimía al azar y vaivenes del recuerdo.

Cuando nació Olga en Saltillo, el mundo entero pasaba por una epidemia que estaba dejando millones de muertos, tantos como la Gran Guerra recién terminada y, en México, la Revolución porfiaba en el proceso de pacificar a los rijosos. Se le llamó influenza o «gripe española» a la feroz epidemia e iba desde Estados Unidos y Europa hasta las islas Fidji en pleno océano Pacífico. Así que hubo guerra civil, hambre, luego peste y ahora, con la peste, su tercer parto; pero supo Isabel que Olga le viviría. «Las niñas son más fuertes», se dijo ante el aviso hecho por la comadrona y la presentación de su hija. Aún así, culpó a Eugenio de un cierto flujo purulento, posterior al parto, que evidenciaba para ella una gonorrea transmitida por su marido y la pavorosa eventualidad de que Olga hubiera nacido ciega.

A los tres años nació Matilde, el ejército trasladó a Eugenio a un pueblo de Jalisco, Arandas, zona de la que salían persistentes rumores de rebelión contra el laicismo de algunos nuevos mandatos constitucionales. Isabel hizo maletas, lió bártulos, vendió cacharros y lo siguió. Luego de un par de años, quizá tres, de distanciamiento erótico, Isabel se negó a tener relaciones sexuales. «Para eso tienes a tus putas», sentenció. No opuso Eugenio reparo alguno: la Secretaría de Guerra y Marina lo había trasladado de Arandas a la ciudad de México y el teniente coronel era uno de los hombres más atractivos que cruzaban diariamente bajo las palmas del Zócalo. Antes de tres meses llegaron Isabel y las niñas.

Mientras Eugenio se calza sus botas de caballería, Isabel llama a sus hijas que juegan en el patio de la privada con otros niños. Vistiéndose, Eugenio silba sin sonido un aria de Mozart que escucha por radio: el jovencito Cherubino pregunta a las señoras, si, ellas que saben qué cosa es el amor, pueden decirle si lo siente en el pecho... El país parece a medias pacificado desde unos cinco años atrás, con esporádicos alzamientos pronto sofocados, y la familia vive atrás del Palacio Nacional, por la calle de Correo Mayor, en una privada con departamentos en torno a un patio que Isabel llama «cuchitriles». Olga de siete años y Matilde de cuatro llegan con restos de insectos secos en las manos.

—¿Qué es esa porquería?

—Son chapulines, mujer —responde por ellas Eugenio apagando el radio porque sabe que no podrá seguir escuchando las preguntas de Cherubino y, además, no es *Rigoletto,* que habían anunciado y prefiere—. El vecino los pone a secar al sol ensartados en hilos para venderlos. Dicen que son sabrosos, que saben a papitas fritas...

—¡Aquí nunca comeremos eso! ¡Niñas! ¡A tirar esa inmundicia y a lavarse las manos! Estamos rodeados de gentuza, que es a donde nos ha traído a vivir este hombre y ustedes se montan en chivo prieto, tercas, a jugar en ese patio y a igualarse ¡por más que lo prohíbo!, pero yo no valgo nada ni lo que diga. Luego iríamos a misa al Sagrario de la Catedral, pero ese demonio de Calles, que se pudrirá en los infiernos, mandó cerrar las iglesias...

—Pero, mujer, el presidente no mandó cerrar las iglesias, fueron los curas quienes lo decidieron... Y, además, ¿de cuándo acá vas a misa? Entre tus defectos por suerte no está lo rezandera…

—¡Mis defectos! ¿Mis defectos? ¿Y los tuyos, desgraciado?, que me infectaste de tus putas y por eso pudo nacer ciega Olguita…

—No hables de eso frente a las niñas, Isabel, por favor…

—¡Te conviene que no hable!

—No tienen edad para oír eso…

—Y ahora resulta que ni católica soy. ¡No he de estar bautizada! ¡Eso sí no te lo permito!

—Isabel, Isabel —dijo en voz arrullante Eugenio, como si quisiera dormirla—. No dije que no fueras católica, sino que… vaya, cómo lo digo para no ofenderte… que antes no te preocupabas por ir a la iglesia y ahora que están cerradas…

—¡Cerradas por ese hijo de Satanás que llamó «enemigos de México» a los sacerdotes, a los ministros de Dios!

—Mira, Isabel… pero de cuándo acá… Hablemos sin exaltarnos: desde principios de año el arzobispo Mora y del Río dijo que la Iglesia combatiría «las leyes injustas y contrarias al derecho natural»…

—¡Pues claro que va contra el derecho natural cerrar las iglesias en toda la República!

—Olvidemos si es derecho natural o no, pero Mora y del Río no se refería a eso porque, simplemente, Isabel, no estaban cerradas a principios de año. Se refería a que el artículo tercero de la Constitución declara que la educación pública debe ser laica… sin clases de religión… y eso no le gustó al clero. Desde 1917 están a duro y dale… Pero eso era todo, no había iglesias cerradas.

—¡Cómo puedes decir que era todo! ¡Ya el Papa declaró que ese Satanás ataca derechos divinos!

—Todo lo revuelves, mujer, Pío XI…

—¡Su Santidad Pío XI!

—Está bien… aunque es la primera vez que te oigo llamarlo así; pero bueno, su Santidad autorizó lo que el clero mexicano le solicitó, que fue cerrar las iglesias en protesta… Las cerraron ellos.

—¡Ves! ¡Me das la razón, pero siempre has de montarte en chivo prieto! ¡Cerraron en protesta por ese comecuras del Calles de marras!

—Pues algo comecuras sí es, te lo admito, pero no cerró las iglesias, nomás exigió que los curas informaran a la autoridad de cada pueblo quién está a cargo de cada iglesia… Eso para poder llevar un registro…

—¡Un registro! ¡Un registro de los sacerdotes de Dios! ¡Y te parece poca cosa! ¡Es meterse en las cosas divinas! ¡Claro, por ti que desaparecieran los sacerdotes y te la pasarías con tus putas! ¡Nomás los hombres de Dios te detienen! ¡Quisieras que no hubiera Dios!

—Las niñas, Isabel, las niñas… Y no me detienen los curas porque no creo en ellos. Lo hago porque te quiero.

—¡Las niñas deben saber quién es su padre! ¡Qué clase de hombre eres, Eugenio! ¡Y mira qué diantre de listo me saliste… si hasta me quieres!

Isabel volcó la sartén con huevos revueltos sobre la mesa y los esparció a sartenazos por entre platos y pocillos de café con leche.

—¡Come! ¡Come, cerdo desgraciado! ¡Come como el cerdo que eres, defensor de Satanás!

Matilde comenzó a hacer pucheros y soltó un sollozo. Olga estaba pálida, con los labios apretados y los ojos bajos, mirando a la mesa devastada.

—¡Ya vas a empezar con tus lloriqueos, mosquita muerta! Y tú… ¡Olga! ¿No me miras? ¿Te avergüenzas de tu madre?

Matilde se atragantó y retuvo hasta el aire para no llorar. Olga levantó la vista y fijó sus bellos ojos en su madre despeinada, con peinetas metidas sin orden ni utilidad entre mechones disparejos. Sostuvo sus ojos muy abiertos mientras la oía:

—¡Mira, infeliz, lo que me hiciste hacer! ¡Dejaste a tus hijas sin desayuno, desgraciado, maldito...! —y se le fue encima con la sartén en alto. Eugenio paró el golpe sujetándola del antebrazo con un puño fuerte— ¡Y ahora hasta me golpeas! ¡Madre mía, madre santa que miras desde el Cielo cómo sufre tu hija! ¡Mira cómo vivo! ¡En dos cuartuchos y comiendo sin mantel...!

—El mantel lo quemaste al plancharlo... —logró murmurar Eugenio.

—¡Sí! ¡Porque nunca supe planchar! ¡Mi madre tenía servidumbre...!

—Sí, mujer, sí, ya lo sabemos, y caballos de cola mocha...

Eugenio apenas alcanzó a librar la sartén que voló sobre su cabeza, se estrelló contra la pared y cayó al suelo abollada. Olga siguió mirando a su madre sin parpadear, con ojos profundos que miraban sin ver, al vacío, a un más allá donde hubiera querido estar, fuera de allí, en cualquier otro sitio, pero no allí, no allí, no allí. Matilde contenía su llanto. Isabel se sacudía en el suelo rompiéndose la blusa y dejando salir los pechos pequeños entre gritos en los que llamaba en su auxilio a su adorado hermano David, a su madre en el Paraíso, y acababa con un llanto largo, largo como un tren que pasa. Matilde, sin comprender la frialdad de su padre, corrió por un frasco de alcohol alcanforado y lo dio a oler a su madre, mientras le suplicaba que la perdonara, no sabía de qué pero algo habría hecho que tiraba a Isabel al suelo.

—Deja eso, hija… ¿No ves que finge?

Matilde lo miró horrorizada: ¿cómo su padre podía ser tan malvado y decir eso? Siguió aplicando alcohol en la frente de Isabel y llorando súplicas de perdón. Con calma extremada, Eugenio quitó el frasco a la niña, que lo soltó sin violencia, lo tapó y, mientras se ponía el kepí ladeándolo un poco, desde la puerta avisó, al tiempo que con la bota empujaba la sartén hacia adentro:

—Te lo iba a decir en mejor… circunstancia, pero te lo digo ahora, Isabel: me envían a Payo Obispo…

—¿Y dónde es eso? —respondió Isabel como despertando de un sueño, súbitamente lúcida.

—En el territorio de Quintana Roo. Y de una vez te prevengo: no venderás, como has hecho otras veces, todo cuanto tenemos para seguirme hasta allá. Se va por barco desde Veracruz para darle la vuelta a Yucatán, no hay otra forma, y es la selva, llena de alimañas, enfermedades… No querrás que a una de tus hijas se la coma un cocodrilo… Voy solo. Puedes quedarte aquí, te entregaré mi paga. O ir a Aguascalientes, donde tengo familia. O quizá prefieras Saltillo. Como tú gustes. Pero en esta ocasión no me seguirás porque pondrías en peligro la vida de mis hijas.

Salió a otra tormenta, una de agosto con rayos y calles inundadas, pero la vio como si fuera un plácido paisaje de trigales ondulados por tibia brisa bajo un cielo azul.

—Cuente conmigo —dijo escuetamente a su jefe inmediato, sin haber pasado a dejar su impermeable a su propio escritorio en Guerra y Marina.

—¿Se refiere a Payo Obispo?

—Sí, mi general, yo tomo esa comisión.

Tres días antes, al plantear el general subsecretario a sus subordinados la necesidad de enviar un pequeño grupo de voluntarios al territorio de Quintana Roo, «donde la madre Naturaleza ha bendecido a nuestro país con riquezas difíciles de imaginar y más de extraer», todos habían solicitado unos días para reflexionar. Debían trazar una pista de aterrizaje para avionetas y diseñar un puerto para barcos de mayor calado, por lo pronto. El proyecto podía ser enorme. La paga sería buena por tratarse de un lugar insalubre, caluroso, selvático, lleno de incomodidades y peligros. En fin, un infierno verde, se dijo Eugenio bajo la tormenta veraniega camino a la Secretaría, a donde Isabel no podría seguirlo. Y respiró tranquilizado.

Cuando esa noche volvió Eugenio, con ligero olor a tequila, Isabel era imagen de mansedumbre. Cenaron despacio y en silencio, con las niñas ya preparándose para ir a la cama, calladas y sin levantar la vista para no encontrar los ojos de Isabel, que podrían leer en ellas un reproche mudo, ni los de Eugenio porque podrían cruzar una leve sonrisa que abriría de nuevo la tormenta de celos y reconvenciones por no amarla a ella y guardar sólo para el padre el amor filial, como si ella no... etcétera. Ese era un camino mil veces pisado y de sobra conocido.

Eugenio puso una mano pesada sobre la delgada de Isabel:

—Créeme por una vez, mujer: no las puedo llevar a esos peligros, es selva y hombres solos, paludismo, fiebre amarilla, alacranes. Te entregarán mi paga aquí mismo o donde tú decidas. Aquí tienes amistades que te prestan el piano para que repongas tu música, tu música olvidada en estos años de *bola* y rebeliones. Ya tocas otra vez muy bien... Hace días te escuché la rapsodia de Liszt que me tocabas cas'e tu tía Margot... a través de la reja... ¿recuerdas?... cuando te conocí... —y los ojos de Eugenio se enternecieron—. O en Arandas, un pueblito tan lindo y donde tus hijas llevaron vida pueblerina, de calle y sol, antes de que las trajeras a esta ciudad tan poco habitable... Allá estuvieron libres y seguras... Arandas, Isa... Vete con ellas a Arandas...

Isabel parecía quedar agotada luego de cada acceso de ira y lamentos. Así que, exhausta, pensó con sensatez:

—La rapsodia número dos... Sí, ya me sale otra vez... el piano es muy celoso: lo olvidas y te olvida... En ese caso, prefiero volver a Saltillo, donde nacieron mis hijas y tengo buenas amistades...

—Claro, amor, tienes a Pila y a Licha. Tono Gallardo es un buen hombre y trabajador desde que reapareció sin contar mucho de su bando en la revolución... Un hombre cerca siempre es necesario, y Saltillo es ciudad tranquila, ya sabes: casas de puertas abiertas y patios bonitos con canceles sin llave. No como aquí en este Distrito Federal tan peligroso.

ELIGIÓ PUES Saltillo y eligió marido e hijos para vivir y no otra posibilidad, que la tenía. Saltillo porque allá, en el árido y helado norte habían nacido sus hijas y porque, dijo, tenía buenas amistades: Pila y Licha Gallardo. Pero, sobre todo, allá estaba Tono Gallardo... «Cuando sea grande me casaré contigo»... Era una página en blanco que podría escribir con la felicidad de las recién casadas. Estaba también el abismo donde podía perder a sus hijas. No las habría perdido: no la generosidad, sino el armisticio hubiera arrancado de Eugenio un entusiasta consentimiento de divorcio. Pero quizá pudo más el temor a constatar que, como ella predicaba con abundancia de datos, todos los hombres eran iguales. También Tono. O bien, mujer inteligente, intuyó que un nuevo fracaso demostraría que con ella iban de puerto en puerto su malicia y pobreza de espíritu.

No había olvidado nunca a Tono, aunque empleó esa forma de negligencia o más bien de aturdimiento ante los sentimientos propios, esa capa de cal viva con que se cree haber cubierto lo que no es y no será nunca un amor muerto. Pero lo cobró y caro: se convirtió en un monstruo de celos y recelos: veía en los más nimios actos las señales de un desprecio incomprensible e injusto cebándose contra ella, perpetuas pruebas de animadversiones del todo gratuitas en vecinas y parientes, marido e hijas. Y cuando lo reclamaba nadie comprendía cómo había podido tejer Isabel tan complejo diseño de intrigas en su contra en apenas una hora de reconcomio.

Hasta las fotografías eran injustas con Isabel, como bien probaba la que proclamaba a un Eugenio alto y bien plantado sobre sus botas de montar junto a una mujercita de belleza poco notable. Eso no la molestaba, finalmente a su marido correspondía ser alto, era hombre; no eso, sino los ojos. Los de Eugenio brillaban con una luz plácida y ese par de luminarias junto a las pupilas eran el ingreso a la fotografía: el espectador entraba por allí, seguía el contorno del apuesto teniente coronel y salía por la figura pequeñaja de una esposa monstruosamente sin ojos: un par de agujeros negros, muertos. Ya vivía en Mina de Plata, a media cuadra de Matilde casada y con tres hijos, cuando, en uno de sus accesos de histeria, que comenzó porque la sopa enviada por su hija carecía de todo sabor y hasta de sal, siguió por el camino de la figurita rota por su nieto Abel al correr sin cuidado, los muchos desprecios de su yerno Esaú Sánchez, y remató con las infidelidades de Eugenio, su marido muerto hacía diez años, tras una separación de treinta. Entonces atacó el retrato con furia: se abalanzó con las manos en garra sobre la mesilla de fotografías familiares, destrozó el vidrio y, mientras se arrancaba a tirones las muchas peinetas, buscó una aguja en su costurero de mimbre y con la aguja se perforó los ojos, los de la foto malagradecida, la foto injusta. No los perforó por completo, sólo levantó un punto oscuro para que asomara el papel blanco; luego hizo lo mismo en el otro ojo. Y con aquella nueva luz instalada en sus ojos punzados, metió la foto en el marco, la colocó en la mesilla y se hundió las uñas en sus propias órbitas, como quizá lo hizo Edipo al descubrir su incesto, y así abiertos sus ojos por la fuerza de sus dedos huesudos, exclamó en tono desolado: ¡Yo también tenía los ojos brillantes... No sólo él! Y pronunció «él» con énfasis feroz.

4
Saltillo

NO FUERON malos años los de Saltillo sin los renegridos celos que la simple presencia de Eugenio germinaban como cicuta de los huesos de Isabel. Con el giro postal que le llegaba puntualmente, pudo hasta alquilar un piano y comprar unas gallinas que metió en un corral. Ya con su piano, puso a las niñas las primeras notas, les hizo llevar el método Beyer y, cuando se aburrían, las dejaba intentar los primeros compases de una pieza sencilla: *La primera caricia.* Pronto la tocaron completa y la fueron memorizando: tenían facilidad, decía, Isabel, y les venía de ella. Tres años después ya tocaban también *El lago de Como,* cursilona y llena de arpegios, pero a las niñas les encantaba. «Y cuando sea grande, tocaré la *Serenata*», decía cada una convencida, refiriéndose a la de Schubert. Y la tocaron... con el mismo error en el tresillo: Eugenio había tenido razón. Un nieto de Isabel, bajando de un tren en la maravillosa estación de Milán, mientras sentía que entraba a *Teorema,* de Pasolini, y miraba por eso en busca de los baños, en el extremo derecho si uno viene de un tren, según recordaba del final de la película, levantaría la vista al oír ruidos de laminillas girando: eran los nuevos horarios y uno anunciaba: «Como, 12:30, binario 5». Faltaba media hora. Corrió a comprar boleto y lo tomó sin dudarlo, sonriendo ante el recuerdo de su infancia: por muchos años había creído que era algo así como el lago de cuándo...

Isabel se hizo en abonos de la obra completa *Los Pardaillán*, novela de espadachines y enredados detalles de la historia de Francia durante las guerras de religión, la matanza de San Bartolomé, Catalina de Médicis y disputas por el trono, que muy probablemente Isabel no sabía explicar a sus hijas. Pero las heladas que en Saltillo llaman «candelilla», cuando de los aleros cuelgan velas de hielo, carámbanos, daban el clima del Louvre, entonces el palacio real de Francia, y con los pies en torno de un brasero, cobijas para arrebujarse, y la voz tranquila y sin alteraciones de una madre cariñosa, las niñas escuchaban las intrigas palaciegas por las que llega al trono Enrique III, el encuentro del caballero Pardaillán en España con el cardenal Cisneros, gran inquisidor, las extrañas referencias a un cierto reino llamado Navarra y, lo más emocionante, los muchos acuchillados por motivos de religión, unas veces porque eran protestantes y otras porque eran católicos.

Tono Gallardo era un joven adorable y guapo que acompañaba a madre e hijas en sus paseos a la Plaza de Armas, frente a la Catedral, las dejaban jugar y tomaban un helado en verano o un café fuerte en los largos inviernos de temperaturas bajo cero. Aquel cabello rubio de su infancia se le había oscurecido en un hermoso castaño que armonizaba con sus bigotes, grandotes y caídos, «bigotes de aguamielero», lo llamaba Isabel porque la moda era llevarlos arriscados hacia arriba, como Eugenio.

Iban las niñas a la escuela primaria, a un par de calles sin tránsito ni peligro alguno; pero Isabel las conducía de la mano hasta la puerta y allí estaba a tiempo para recogerlas.

A veces la acompañaba Tono; en otras, según lo permitiera su variable horario de trabajo en Ferrocarriles, iba nada más él y las niñas gozaban con verlo a solas porque antes de llegar a casa les compraba gelatinas frente a la capilla del Santo Cristo.

—Les quitas el hambre, Tono, con esos chuchulucos... —era el sereno reclamo de Isabel—. Ya te lo he dicho, pero tienes cabeza de chorlito. Les cumples todo lo que piden.

—Bueno, Isa, cuando un niño no come porque ya comió, ¿qué más da?

—Bonita disciplina quieres para mis hijas. Mira, Tono, hazme un favor: vacías esa palangana en el balde que está allí al lado, es que se me quedó agua jabonosa, le das una enjuagadita con agua de la jarra, y les lavas las manos a estas niñas para comer, y sirve de que así te las lavas tú, mira nomás que manos traes de carretonero.

—La jarra está vacía, voy a llenarla, Isa, y me llevo a vaciar el balde al patio.

Por toda respuesta, Isabel sonrió y movió la cabeza en asentimiento. Añadió:

—Ten cuidado de no romperla, con su aguamanil es de lo único bueno que nos queda.

—Recuerdo que tu papá le decía «jofaina».

—¿Al aguamanil?

—Sí, ¿o a la jarra?, no sé... ¿nunca lo oíste? Yo muchas veces llevé a llenar su jofaina a la llave del jardín, ya ves que a mi papá no lo dejaba hacer trabajos caseros.

—Hum... Mi papá, mi papacito, era conmigo muy cariñoso. ¿Así que tú le llegaste a llevar agua para que se lavara?

—Y la llevaba a calentar cuando se rasuraba. Tenía un mueble que me impresionaba de tan bonito, madera con una placa de piedra encima.

—Un tocador de caoba con una placa de mármol, Tono, por el agua que salpica. Y un espejo al frente. Encima del mármol veías el juego de palangana y jarra, de loza blanca con flores de lavanda... tengo la imagen clarita, su tarro y su brocha para enjabonarse la barba, su agua de Colonia que se frotaba después, ¿recuerdas que no tenía nombre sino un número? Un número grande, dorado, comenzaba con un 4. El aguamanil de mi madre estaba decorado de rosas y violetas, en el otro extremo del cuarto... si hasta parece que lo veo —y se le entristeció la voz.

—A ella nunca le llevé agua.

—No, eso lo hacían las muchachas. No iba a dejar a un hombre que tocara sus cosas, aunque fueras un niño. Anda, ya trae el agua, que nos quedamos en Babia, y lávales las manos a estas niñas. Luego me cuentas cómo le va a tu papá con la tienda de Tampico.

—Le va bien, desde que se dedicó nada más al mayoreo, ya sabes, semilla y todo eso. Intentó ayudarme, pero, ya viste, no se me da eso de las ventas. Estoy mejor en Ferrocarriles —respondió sin detenerse, saliendo.

—Hum... sí, te va mejor desde que andas en eso de los trenes. Y son tan bonitos los trenes, ah, cómo huelen, ¡me encantan los trenes! —se dijo lo último para sí misma acariciando a Olga en la cabeza, pues no alcanzaba a oírla Tono.

A finales del verano iban a huertas de manzanas y duraznos, donde pagaban unos centavos por comer cuanto quisieran a la sombra de enormes nogales. Isabel compraba de regreso membrillos maduros y perfumados que metía unos días entre las sábanas y luego hacía con ellos marquetas de ate de membrillo, que regalaba a sus amistades.

Se levantaban a las cinco de la madrugada cuando iban al río La Paloma en un coche de dos caballos previamente rentado por Isabel. Las acompañaban Tono y sus hermanas. «Bendito entre las mujeres», lo llamaba Isabel en tales ocasiones, e insistía en que fueran también ellas, Pila y Licha. Quizá no le gustaba que la vieran salir de la ciudad en compañía de un guapo joven. El coche las dejaba en lo alto y bajaban a pie hasta el río. Tono y las muchachas se bañaban en la cascada. Isabel no permitía a sus hijas llegar ni a la orilla del agua porque había oído que el río, de agua escasa, en ocasiones tenía súbitas crecientes y la avenida arrastraba toros y caballos. Y no estaba tranquila hasta que los bañistas salían y se alejaban del agua, pendiente en todo momento del posible rumor que avisara la avenida bajando con estrépito de la sierra, aunque por años no había ocurrido una. Estaba en ascuas mientras no se retiraban del peligro y soportaba con resignación las pullas de los bañistas por su ansiedad.

—¡Pero si hay medio metro de agua, Isa! ¡Ven, mira cómo las niñas se mueren de ganas! ¡Déjalas en calzoncitos!

—Mejor de ganas y no de ahogadas —era su respuesta. Por lo demás, esos paseos lejanos habrán sido tres o cuatro, pues el río ponía siempre nerviosa a Isabel.

En cambio, a menudo los domingos ella y Tono llevaban a las niñas a la Alameda. Al mediodía los ricos de Saltillo paseaban alrededor en coche, unos de caballos y otros de motor. Sentados en alguna banca sombreada, miraban a las niñas correr. Un domingo Tono les compró, sin consulta, un par de aros para que los hicieran correr con un alambre torcido.

—Es juego de niños, Tono —dijo Isabel, pero las miró complacida mientras trataban de hacer rodar el aro—. No de niñas.

—Hum... no tanto, ni que fuera un trompo.

Una ocasión, confiadas en Tono, se aventuraron hasta la sierra del Laurel con Pila y Licha, y pasaron el día entre pinos, viendo conejos para sorpresa de las niñas y hasta un venado que asomó sus grandes astas entre un matorral, se quedó inmóvil mirando al grupo, también inmóvil, hechizado por aquellos grandes ojos negros que miraban directo y sin el más leve movimiento, luego desapareció en un instante. «Nos quedamos patidifusos», comentaría Isabel al regreso. En una cabaña hecha de troncos de pino comieron codornices silvestres, asadas a la leña de encino, y las niñas no olvidaron jamás la experiencia. Isabel tampoco.

EN OLGA comenzó a despuntar una belleza que asombraba a hombres y mujeres por igual: ya no era de este mundo, etérea y espigada, con ojos y pelo color miel, una suavidad en la curva de las cejas, en la nariz y el óvalo del rostro que parecía salir de una luz interior, nadie se habría sorprendido si descubriera que sus pies no tocaban tierra al caminar. El espaciamiento de los arrebatos de Isabel y su menor rango habían contribuido a no endurecer aquellas facciones perfectas.

A los trece años, Olga, que ya tocaba *La primera caricia* y *El lago de Como* memorizadas, se hizo de un novio mucho mayor, Gerardo Silveti, de veintidós años, familia rica y con auto, buena estatura, hombros anchos, pelo oscuro y ojos claros, «zarcos» se decía, siempre bien peinado, con la raya del pantalón marcada y la camisa limpia, el saco lo llevaba con frecuencia sobre un hombro y a diario se cambiaba de corbata. Además, era sobrino de un torero por entonces muy famoso. Olga moría por subir en uno de esos coches de motor como el de Gerardo. «Primero le da cuerda con una palanca que se mete al frente», decía saltando de entusiasmo, como si fuera eso un argumento para facilitar el permiso; la invitaba al campo, a la sierra del Laurel, pero Isabel no quería ni oír hablar de tal exceso, y menos de dar la vuelta a la Alameda con él un domingo y que todo Saltillo la viera noviando con un muchacho mucho mayor que ella, un hombre con una niña.

Olga recibía a su novio Gerardo en el umbral de la puerta: no podía pasarlo ni salir ella, debía dejar entornada la puerta mientras conversaban. Isabel se ocultaba detrás y Olga estaba obligada a mantener un brazo tras la puerta para recibir los pellizcos de su madre cuando no respondiera lo adecuado, por ejemplo que algún día aceptaría ir con él en su auto a dar un paseo.

Gerardo le hizo formal propuesta de matrimonio y, ante el silencio de Olga, el pellizco de Isabel fue tan doloroso que Olga dio un grito.

—¿Qué pasó, Olguita?

La joven enrojeció hasta el cuello.

—Creo que... creo que me clavé una astilla de la puerta...

—Déjame ver... yo te la saco ahora mismo... Y te beso la herida... Dame, dame tu manita. ¡Pero mira nada más qué belleza de mano! —dijo tomándole la única disponible—. Te beso tus deditos —y en efecto, lo hizo— y un día me darás tus labios. ¡Ay, Olga! ¿Te puedo besar? ¿Me lo permites, mi cielo? ¡He soñado tantas veces el momento!

Otro pellizco dio a entender que no podía mostrar el brazo ni dejarse besar en los labios, pero ese lo aguantó con estoicismo y labios apretados.

Cuando se retiró Gerardo, iba confuso porque nunca lo hiciera pasar y siempre dejara un brazo detrás de la puerta... y diera esos extraños grititos, pero convencido de que nada deseaba en el mundo sino vivir por siempre con Olga, más bella que las actrices del cine mudo que Gerardo había visto en las salas de la cercana Monterrey y luego también en Saltillo.

—Ni lo pienses, Olga, ni lo pienses… —remarcó cada sílaba—. No me gustó nada ese momento de duda que tuviste para negarte: no te casarás hasta después de los quince años ni aunque te montes en chivo prieto… y me parecen pocos, creo que deberías esperar hasta los dieciocho o los veinte todavía mejor… Y no son buenas familias las que tienen hijos toreros.

—Gerardo no es torero, mamá. Y su tío ha toreado en España, en Sudamérica y llena las plazas por todo México…

—Gentuza… Los toreros son gentuza y no personas de calidad… Ahora nos pueden ver pobres y por encima del hombro, pero ya los quisiera ver recibidos por mi madre en la casa de la hacienda: se quedarían turulatos… Y para terminar, estás muy joven… ni siquiera has terminado de crecer… Y hoy no me has dado tu lección de piano. Anda, ve, ponte a estudiar, el piano es muy celoso: lo olvidas y te olvida.

Cuando un primer giro postal se retrasó por largas dos semanas, Isabel vendió algunas figuritas de porcelana y alguna alhaja de poco precio, pero que le permitió alimentar a sus hijas. El giro postal siguió sin llegar e Isabel comenzó a perder la concentración en Catalina de Médicis y los caballeros de capa y espada; ante las preguntas de las niñas acerca de la confusa historia, que antes respondía con cualquier salida, reapareció el acento metálico que creían desaparecido pero no habían olvidado, y las preguntas cesaron.

Isabel no volvió a tener aviso para recoger la paga de Eugenio. Y nada la ponía peor que la falta de dinero. Contaba los días en que debían entregarle su giro postal y cuando al fin lo recibía respiraba tranquila. Estar sin dinero era su peor angustia. Mayor que la enfermedad de una hija, peor que la ausencia de Eugenio y sus posibles devaneos con putas caribeñas y negras en Payo Obispo. Nada, nada se parecía a esa falta de respiración que le venía cuando el dinero se le iba haciendo menos y no aparecía aviso del nuevo.

Isabel se daba toda clase de explicaciones para los giros postales no llegados: con el presidente Calles el país se había vuelto a convulsionar. Uno que otro levantamiento esporádico y aplacado; pero luego la guerra civil, otra más, antes de cumplirse diez años de concluida la Revolución: sacerdotes católicos habían atribuido el cierre de las iglesias al gobierno y en el pueblo católico instalaron la idea de la violencia legítima. En Valparaíso, pueblo de Zacatecas, comenzó la guerra que se llamaría pronto «cristera» o simplemente «la cristiada», porque se hacía en nombre de Cristo Rey. Se extendió la nueva guerra civil por Jalisco y Guanajuato. Pero Quintana Roo estaba a miles de kilómetros y resultaba inaccesible, se decía Isabel desesperada. Además, estuvo convencida desde la partida de Eugenio, de que por allá la gente era atea y no se interesaba en iglesias cerradas, había hasta un Garrido Canabal con su chusma de camisas rojas, o era de plano pagana y adoraba dioses de la selva.

Bien, pues los giros postales no habían fallado ni con la cristiada. Terminó esa guerra civil al poco tiempo de entregar Calles el poder al nuevo presidente, y no por eso fue Isabel a las iglesias; más aún, se había reído de buena gana frente a Tono cuando leyeron que los alzados llevaban un escapulario al pecho con la orden divina: «¡Detente, bala: el corazón de Jesús sacramentado está conmigo!». Tono le hizo segunda y añadió un comentario mordaz: «Parece que no las está deteniendo, Isa». Pero ni durante el conflicto se habían suspendido los giros postales con su dinero puntual.

Ese presidente sólo duró dos años y el que le siguió quizá tampoco concluyera. A Isabel se le cruzaba una idea mala con otra peor para explicar la falta de su giro postal. O era la inestabilidad política y que los correos de nuevo no eran confiables. O algo peor que no quería ni pensar, pero tenía cuerpo y rostro de mujer mulata a la luz de la luna en el Caribe. Pensando en suaves olas, playas blancas y palmeras con hamacas propicias a los amantes, Isabel regresó el piano alquilado. Fue matando las gallinas para comer. Pidió a Tono que se comunicara con su hermano Francisco, allá en el Distrito Federal.

El mayor de los Gallardo, Pancho, era cadete del Colegio Militar y por eso vivía en la ciudad de México. Tono le telegrafió para pedirle que se informara sobre el paradero del teniente coronel Eugenio Monteros.

No llegó el giro postal, pero sí la respuesta. Pancho lo había localizado en el Hospital General. Se lo informaron en la Secretaría de Guerra y fue a verlo. No decía más, pero eso era suficiente.

Isabel vendió todo, hasta el hermoso aguamanil, los cubiertos, nada finos ni caros, platos, cacerolas, camas y sábanas: todo, para ir a la ciudad de México y ver a Eugenio.

5

Primera pierna

EL TENIENTE coronel Eugenio Monteros, oficial de caballería, calzando las botas altas de su arma, trepó a un cercado para ordenar desde lo alto el emplazamiento del teodolito con que trazarían una pista de aterrizaje para avionetas y bimotores, la que estaba en uso era apenas un camino de tierra recto. Las frondas de caobas gigantes se extendían por una planicie tan llana que era un mar todo el año verde. Cedros rojos a un extremo y palmas de huano a otro, maderas duras y blandas, preciosas y corrientes: allí estaba la silvicultura que Eugenio documentaba en los informes que llevaría a la capital: selva alta y mediana, una riqueza intocada, salvo por los enormes chicozapotes de incisiones diagonales para extraer la materia prima del chicle. Su deliciosa fruta, que parisinos pagarían a precio de gemas, era mal comercializada en la capital, producto de mercado barato. Desconocida en el norte mexicano. Anotó en su bitácora: «Madera chicozapote, muy resistente, pescadores emplean en muelles p.q. no la pudre agua salada mar… Probar primer muelle, calado medio, pilotes chicozapote, regalado, sólo mano obra. Apoyar chicleros con cinturones seguridad (ver a electric.) para trepar árboles 25-30 metros, incisiones a cinco y diez m., las cuerdas se les rompen con frec., (preguntar electricistas en DF, suben postes)».

La fronda brillante bajo un sol que levantaba vapores y silenciaba la vida, mostraba al teodolito la herida de una vereda para mulas, por donde los arrieros llevaban alimentos, pistolas y rifles, cigarros y licores, linternas eléctricas, telas, fonógrafos y cuanto era necesario para la población que —sin ellos y el contrabando pasado de Belice, la colonia inglesa a unos cuantos kilómetros, nomás cruzando el río Hondo y, aún mejor por mar, en lancha por la laguna de Bacalar— no hubiera tenido sino pescado. La vereda se perdía en la selva por un extremo y en los techos de huano de una comunidad chiclera por el opuesto.

Al bajar de la cerca, Eugenio se enterró una astilla que raspó primero la bota y luego penetró el uniforme y la piel abajo de la rótula. Había cuarenta grados a la sombra en Payo Obispo y muchos más al sol en que trabajaba Eugenio. Quitándose la bota, arrancó la astilla y volvió a calzarse. Eso ocurrió hacia el mediodía. Para las cinco de la tarde, la inflamación era tanta que no pudo sacarse la bota que le apretaba como instrumento de tortura.

Sus ayudantes se dieron prisa en cargar los instrumentos en la recua y lo llevaron al pueblo, de escasos cuatro mil habitantes, sosteniéndolo en la grupa de una mula porque le era imposible apoyar el pie y montar. Buscaron enseguida un médico. Para examinar el pie fue necesario cortar la bota con alicates de jardinería que el médico buscó en su huerto. Unas rayas azules y rojas le llegaban hasta la rodilla, la inflamación transformaba en una sola masa congestionada tobillo y pie, gruesos como la pantorrilla. Un olor a carne descompuesta emanó de la pierna. La cara del médico se ensombreció.

—Mi teniente coronel... —comenzó y se retiró a ver de lejos, luego se aproximó e hincado puso con delicadeza la punta de sus dedos en las zonas azulosas; era claro que sabía las palabras y no se atrevía a decirlas a aquel militar alto, joven y guapo, de escasos treinta y cinco años, con sus bigotes castaños retorcidos; pero lo dijo porque no había remedio y había prisa—. Mi teniente coronel —repitió—: esto es gangrena... y de la peor... es gaseosa. Usted sabe: en este clima he visto muchos casos... la gangrena gaseosa puede uno verla avanzar: en horas habrá invadido toda la pierna y después estará en la cavidad abdominal... a las ocho de la noche usted estará muerto...

Eugenio se miró el pie ya deforme, el tobillo y la pantorrilla confundidos y sobre todo, olió, olió que se pudría, y hasta creyó advertir que entre el momento en que el médico había logrado cortar la bota a lo largo y los minutos de examen, los tentáculos azules habían avanzado.

—Mi teniente coronel... le puedo salvar hasta la rodilla... eso ahora mismo... En unos minutos... ya no sé... Mire: con la rodilla a salvo, una prótesis será muy simple y usted caminará hasta sin bastón... Pero ya... decídase...

Eugenio miró por la ventana al cielo azul. El consultorio del médico, un par de cuartos encalados en su propio domicilio, daban al Caribe, color turquesa con arenas blancas. Pasó una bandada de pelícanos en formación y se zambulleron de uno en uno para atrapar su merienda. El sol bajaba hacia la selva y ya entraba por la ventana opuesta, por entre ramas de ceibas y de un cedro rojo que despedía un extraño olor a ajo. «¿Será por eso que también es medicinal?», se alcanzó a preguntar Eugenio como si no tuviera ante sí la decisión más terrible de su vida. La última palabra, «medicinal» repiqueteó como un pájaro carpintero. Los pelícanos volvieron a remontar el vuelo sin perder su formación en punta de flecha. «Mañana ya no veré esto...» ¿Podía haber una alternativa? ¿Un medicamento? Si lo hubiera no estaba disponible allí, sino en la ciudad de México: a días de distancia y sólo disponía de horas... no, ni eso: de minutos. Se miró de nuevo y, sobre todo, se inclinó para oler... ¿Qué remedio podía haber para la carne muerta? Mirando de nuevo por la ventana hacia los pelícanos en formación sobre las suaves ondas del Caribe dijo, en voz muy queda, lo único posible:

—Corte, doctor.

Llegó a México, luego de un vuelo en avioneta de Quintana Roo a Campeche y un día de tren. No volvió con ilusiones cumplidas, sino con una pernera del pantalón enrollada y un par de muletas. En el Hospital General lo tuvieron internado y en vigilancia médica. El riesgo de infección había desaparecido y el médico de Payo Obispo había sabido cortar hasta donde la gangrena quedó por completo controlada.

No sólo en eso acertó el doctor: la prótesis por debajo de la rodilla le resultó fácil de dominar sin necesidad de bastón. Y volvió a su trabajo en la Secretaría de Guerra.

Llegaron Isabel y sus hijas conducidas por Pancho Gallardo en su uniforme de cadete. Eugenio estaba a punto de ser dado de alta.

—No, Isabel... No puedes quedarte... Las niñas deben terminar su escuela allá en Saltillo. Tú también estás más segura por allá, en una ciudad pequeña y caminable —al decirlo enmudeció, desvió la mirada, respiró hondo—. Es lo mejor para ti y para ellas. Te seguiré enviando mi paga. Voy a pedir una indemnización, me estoy asesorando, puede ser una buena cantidad. Podrás volver a comprar todo lo necesario para tu casa, y será nuevo.

Isabel aceptó, en parte porque Eugenio daba buenas razones; en parte porque ella también tenía las suyas.

DOS AÑOS después de perder la pierna y ya con el dominio de su prótesis, Eugenio fue al cine Olimpia con Pancho Gallardo, su novia y una amiga de la novia. Se proyectaban dos películas, primero una en reposición: *Náufragos de la vida* y, de estreno: *Más fuerte que el deber*, que anunciaban hablada y con canciones. Durante la segunda, los diálogos, que surgían de discos, no coincidían con la acción, y las canciones comenzaban antes de que el tenor Luis de Ibargüen abriera la boca, así que el público se reía mucho y algunos ocurrentes hasta habían memorizado frases en funciones previas y las gritaban en el momento adecuado. Pancho Gallardo mostró una notable habilidad para decir la frase sincronizada con los labios del galán, el mismo Ibargüen, y fue por eso muy festejado por el público. Se divirtieron mucho y las dos jóvenes se dejaron abrazar y hasta aceptaron algún beso, aunque nunca tan largos como los proyectados en la pantalla.

Al salir, Eugenio sufrió un calambre en la pierna sana. No le dio importancia porque comenzaba enero y hacía un frío terrible que había dejado nevados hasta las faldas los volcanes y hacia el sur el Ajusco, visibles desde la Alameda. Los calambres continuaron durante enero, con heladas a diario y fue ese frío la explicación tranquilizante. Se pagaba un cuarto en una casa de huéspedes y enviaba casi todo su salario a Saltillo. La casa, antigua, de techos altos y muros gruesos, era fría, y Eugenio pensó que debía mudarse. Comenzó a buscar. Entre el Paseo de la Reforma y el Reloj Chino de Bucareli había edificios de apartamentos nuevos.

Podía pagar la renta si reducía el giro postal, pero no quiso ni imaginar la tormenta con Isabel. No llegó a mudarse.

Al darse un baño, encontró Eugenio en su único pie un pequeño punto negro en el dedo gordo. Cuando buscó a los médicos que lo habían atendido un par de años antes, la gangrena se mostraba en la otra pierna. «Hay que amputar de inmediato, mi teniente coronel», fue la prescripción del médico militar. Perdería únicamente la falange distal, pero Eugenio prefirió un tratamiento farmacéutico que ofrecía alguna posibilidad de remisión. No la hubo. Y ya no era una falange, sino todo el dedo. Luego fue todo el pie. La resistencia de Eugenio fue mayor y empeoró conforme las vetas verdinegras ascendieron por su pierna. Hubiera deseado perder la falange de un dedo cuando tuvo esa opción. Pero tales elecciones no vuelven.

Todos los días iba a que le aplicaran unas inyecciones y todos los días escuchaba la misma orden médica:

—Debe usted internarse para que lo intervengamos, es de la mayor urgencia, mi teniente coronel, debe internarse ahorita mismo, ya.

Respondía que el medicamento recién inyectado podría comenzar esa vez a hacer el efecto esperado.

—No lo ha hecho, mi teniente coronel, no lo ha hecho. Y hemos perdido semanas valiosísimas. Me dan ganas de no permitirle salir, pero no puedo forzarlo. Yo debería llamar un guardia para que me ayudara... Es que... lo ataría ahora mismo a una cama...

Eugenio regresaba a su cuarto para quitarse el uniforme y ver el milagro: que la gangrena iba de regreso, que había descendido un par de centímetros, que la medicina al fin comenzaba a actuar.

A punto de que la gangrena llegara a la ingle y penetrara

el perineo, el hermano gemelo de Isabel obligó a Eugenio a vivir. David Salinas llegó en auto oficial, con chofer uniformado y el escudo de la Cámara de Diputados, de la que era tesorero, y arrastró a Eugenio al Hospital General, donde le amputaron la segunda pierna. Ésta por completo, hasta la cadera. Luego, David le regaló un par de prótesis a las que Eugenio jamás logró acostumbrarse y no pudo nunca usar: le dolía de forma insoportable donde el arnés de cuero, metal y madera se ajustaba a su tronco separado de sus piernas.

Isabel ya tenía una casita bien puesta en Saltillo, hasta un piano al que se sentaba un par de horas diarias, repasando partituras compradas y prestadas, para recuperar su repertorio de adolescencia. Las dos niñas se habían encariñado mucho con Tono, empleado en las oficinas de los Ferrocarriles, más aún la pequeña Matilde, y escucharon con un vacío en las almas la noticia de que deberían volver a la ciudad de México. Una vez más vendió Isabel sus pertenencias, se despidió de Tono Gallardo, y llegó a cumplir con una obligación que nadie, y menos Eugenio, le exigía.

Sin informárselo a Isabel, Tono pidió su traslado a las oficinas de los Ferrocarriles Nacionales en el Distrito Federal. Se lo concedieron pronto porque estaban en expansión, conectando unos ramales con otros, y resarciendo los daños producidos por la Revolución, luego por la Guerra Cristera y, finalmente, en el norte, por el levantamiento del general Gonzalo Escobar. No pasó un año y Tono ya salía de nuevo con Isabel y las niñas. Iban a caminar por la Alameda, la de México, la capital.

Al llegar de Saltillo, Isabel buscó una casa amueblada que estuviera al alcance del salario de Eugenio, doce pesos diarios, todavía su salario completo. La encontró en la colonia de los Doctores, en Doctor Barragán, tenía una cama matrimonial que se empotraba en la pared y se cubría con una cortina. En el mercado de la Lagunilla compró Isabel lo necesario.

Pero la pensión por invalidez le fue reducida a Eugenio porque las piernas no las había perdido en acción de guerra. Quedó en la cuarta parte del salario, tres pesos. Y porque, no lo decían, pero constaba en el expediente, Eugenio era militar de carrera y no revolucionario. Y únicamente la derrota de San Luis Potosí lo había decidido a pasarse al lado «del pueblo mexicano», como ya se decía en los discursos.

Se acomodó la familia en una casita mucho más modesta, cerca del montón de hierros retorcidos que iban a ser un grandioso Palacio Legislativo, la obra magna que, con Bellas Artes, el régimen de Porfirio Díaz dejaba a la nación, y acabarían siendo monumento a la Revolución que lo derrocó. Isabel con sus hijas en una recámara, Eugenio en otra más pequeña, apenas un par de cuartos por la calle de Guillermo Prieto; pero tenía un estrecho zaguán, patio, cocina y al fondo un baño. Parecía surgir de los restos de una casa grande y elegante, abatida con la huída de familias ricas a Europa durante la Revolución.

Sentado en una cama sin hacer y nada limpia, Eugenio jugaba al solitario, bebía tequila, escuchaba ópera por radio y recibía las andanadas de insultos proferidos por Isabel. «Desgraciado bulto inútil» era su nombre. Tampoco para ella debía de ser fácil no estar nunca sola y ver las 24 horas de los 365 días a aquel bulto inútil que se acostaba para dormir y se enderezaba, en la misma cama, para tomar el café que su mujer le aventara y barajar sus cartas sucias, cartones reblandecidos, para echar solitarios sobre la cama hasta la hora de su primer tequila. Nunca dejó de ponerse su uniforme verde olivo cada mañana, y abotonar escrupulosamente hasta arriba todo su chaquetín luego de cepillarlo. Matilde había recogido un gatito de pocas semanas, rayado en diversos tonos de gris y ojos muy verdes. Lo llamó Misi y consiguió autorización de Isabel para tenerlo en casa. Luego de abotonarse su chaquetín bien cepillado, Eugenio llamaba a Misi y lo colocaba sobre el muñón más corto para que se lo calentara y disminuyera el continuo dolor. Así pasó cinco años.

LA PENURIA económica sacaba lo peor de Isabel. Cuando Olga volvió de la farmacia con un frasco chico de las Píldoras del Dr. Ross que Isabel se administraba a diario como laxante, vio con pánico la descomposición del rostro de su madre, el temblor, la proyección de la mandíbula anunciando la crisis. Fue inútil que Olga intentara explicar, con voz apagada, que no había frasco grande y había pensado que era mejor uno pequeño que nada. Ya Isabel no podía oírla, estaba en plena carrera trémula hacia el largo listado de afrentas que su familia le infligía a diario: cómo preferían al padre y no parecían haber sido paridas por ella, y relataba los dolores y peligros del parto, para horror de las niñas que se sabían mujeres y por ende amenazadas algún día por similar trance. Luego que agotó el parto, siguió con los horrores de la muerte por peritonitis cuando no se iba al excusado:

—¡No sabes, Olga, mala hija, a lo que me condenas sin mi medicina! ¡A morir de una peritonitis! ¡Sí, y óyeme bien: es la muerte más horrible que se puede tener y viene por no ir al excusado… el intestino se revienta de tan lleno y vienen unos dolores espantosos, tanto que uno se revuelca por el suelo... y grita con el suplicio de las tripas reventadas! ¡Reventadas, Olga, óyelo, las tripas reventadas, y uno se revuelca del dolor y grita y entonces se le sale a uno la caca por la boca! ¡Y así muere: echando caca por la boca!

Olga cayó hincada, abrazando los tobillos de Isabel y con el pelo echado hacia delante, cubriéndole el rostro:

—¡Tú no, mamita! ¡Tú no vas a morir así! —gritó desesperada—. ¡Ahora mismo te busco tu medicina! ¡Pero no, no, no morirás así, mamita mía!

—¡A eso me condenas, infeliz desgraciada! ¡A eso! ¡Pero tu castigo te bajará del Cielo, Olga, te lo enviará Dios como se lo envió a tu padre! ¿Quién sino Dios en su infinita justicia lo dejó mocho, mitad de hombre?¡Y sí: así mueres en la peritonitis, aunque lo dudes: echando caca por la boca y retorciéndote de dolor porque las tripas se te revientan! Por eso tomo mis píldoras laxantes...

—¡Ahora mismo voy, mamita, voy corriendo! ¡Pero no te ocurrirá eso!

—Ah, pero no hubiera sido un medicamento para tu padre, desgraciada, porque lo buscas por cielo, mar y tierra... Pero te lo pedí yo y no él... ¡Un padre satánico que te mira con lujuria y que tú insistes en besar, contra mis órdenes, Olga, contra mis órdenes, y él encantado!

—¡Mamita! —dijo Olga con suavidad, soltando los tobillos de su madre, enderezándose y abriendo más los ojos, ya muy abiertos con la descripción de la muerte por peritonitis.

—¡Isabel, por Dios! —murmuró Eugenio con voz horrorizada y luego, casi inaudible, añadió—: Es mi hija y soy un inválido...

—¡Inválido o no eres un lujurioso! ¿Te crees que no veo cómo te brillan las llamas del infierno en los ojos cuando las ves?

—¡Isabel! ¿Las? ¿Las... veo? ¿También a Tití, la chiquita de mi alma?

—¡Chiquita, pero cuando te besa la frente le deslizas la mano por sus tetas, que te quedan muy a mano... lúbrico aliento del infierno! ¡Poseído de Satanás! ¡Sátiro!, pero qué digo sátiro: ¡pedazo, cacho de sátiro inútil! ¡Y tener que soportar tu jediondera, ¿crees que a tus hijas les atrae tu jediondera? ¡Madrecita mía! ¡Desde el Cielo sufres por tu hija desdichada! —clamó mirando al techo manchado de humedades.

Eugenio, sonrojado desde la raíz del cabello hasta el cuello, miró hacia la puerta, los ojos se le habían llenado de lágrimas. Se remolineó sobre sus muñones, quiso escapar, correr. Había olvidado que no tenía cómo, que no tenía piernas para ponerse en pie y salir dando un portazo.

—Estás enferma, mujer, estás muy enferma; Dios te perdone porque yo no... yo no —bajó la cabeza cuando se le escurrieron las lágrimas y repitió casi inaudible—: yo no, y creo que tampoco tus hijas, lo verás.

—¡Te he visto, demonio, hijo de Belcebú! Te veo cuando crees que estoy distraída y les deslizas la mano...

—¡Mamita! —balbuceó Olga con un asomo de llanto.

—¡Por qué me odias así, Olga! ¡Soy tu madre! ¡Y madre sólo hay una, en cambio padre cualquier fulano puede serlo! ¡Y tendrías otro si yo me volviera a casar...! ¡Y no me veas con esa duda en tus ojos hipocritones y de Marta la Piadosa! ¡Fui una mujer muy bella y mi madre me peinaba el pelo que me llegaba hasta por debajo de las corvas...!

Cayó al suelo sacudiéndose y Matilde, que veía desde un rincón haciéndose pequeña, pequeña como un ratón gris, corrió a llevar el alcohol alcanforado para empaparle la frente y dárselo a oler. Olga se hincó a suplicarle perdón una vez más.

—Por eso se pone así, hijas; esa pataleta es su forma de tenerlas dominadas —dijo calmadamente Eugenio—, ocupadas en ella... Déjenla allí tirada en el suelo, sólo finge sus arrebatos... Es histeria...

Matilde levantó la mirada, incrédula, ante esa muestra de maldad e incomprensión paterna. Pero Olga subió a la cama de su padre para alcanzar la repisa donde guardaba su arma reglamentaria, y elevó un grado más la densidad del aire que ya chisporroteaba electricidad:

—¡Ya no soporto esto! ¡Me mato! —y puso la pistola, a la que no había quitado el seguro por ignorancia de las armas, en su cabeza de ángel pintado por Botticelli.

Isabel volvió en sí al punto, la que no veía ni oía nada durante esos trances, oyó y vio a su hija y, de un salto, invirtió los papeles: hincada y abrazando sus pies, le suplicó que la perdonara y a cambio no volvería a tener un acceso como ése, que había sido el último, le besaba los pies y prometía por la vida de su adorado hermano David y ante su santa madrecita que la veía desde el Cielo, que ya nunca se pondría en ese estado:

—Pero dame esa pistola, hijita mía, suelta eso, las armas las dispara el diablo. Deja besarte, ángel mío, mi querubín, no amenaces así a tu madre. ¡Yo no viviría ni un minuto sin ti, angelito, Olguita, Olguita, dame esa arma! ¡Dámela, así, así dámela! Ya está, Olguita... Perdóname, ángel del cielo. Verás como tu madre cambiará, cambiará por ti... ¡Ay, Dios mío! ¡Cómo me arrepiento de llevarte a estos extremos!

Del radio de Eugenio, olvidado entre sábanas y gritos, surgía el principio de un aria de Mozart: «Venga la morte! Intrépida l'attendo!» Lo apagó de un manotazo.

Matilde, aún llorosa, miró a su padre, incrédula. Ambos cruzaron una mirada de entendimiento, un poco intrépida considerado el riesgo, y en adelante Matilde nunca más correría por el frasco de alcohol alcanforado, porque Isabel, como era de esperar, no cumplió su juramento y a las primeras estaba de nuevo en el suelo con un patatús duplicado y otra blusa rota que iba a tener que remendar con manos torpes.

6
Don Otilio

CON LA GANGRENA de su padre había crecido la belleza de las dos hermanas. A los rostros renacentistas se habían ido añadiendo unas caderas redondas y unos pechos que latían como una erección. Del seno entre ellos surgían aromas de piel adolescente y preludios de leche.

Olga se acostumbró a que, en las esquinas sin semáforo, que por entonces eran muchas en San Juan de Letrán, y en una ciudad de barbajanes al volante que ni ochenta años después respetarían al peatón, el tránsito se detuviera para dejarla cruzar la avenida ante las miradas incrédulas de los hombres y codiciosas de las mujeres que deseaban para sí aquella mágica combinación de formas y colores. «¡Una varita de nardo!», era la eficaz descripción que hacía de ella su tía Pánfila Pozos Conzeta y Saldaña, la esposa de David Salinas, aclarando al auditorio tras una pausa dramática y con las manos regordetas recorriendo sus mejillas: «paaálida».

La tía Panfi, como la llamaban Olga y Matilde, era tía por partida doble. Esposa del tío David Salinas (e hija de aquella tía Ramo que en San Luis se había negado a dar un poco de leche al hijo de Isabel y a cambio había ofrecido hierbabuena para un té), eran además primos entre sí; y más aún, por intrincados parentescos de vericuetos muy tediosos de seguir, eran tío y sobrina, por otros a la inversa, tía y sobrino. El extraño apellido lo había adquirido la tía Panfi por el excesivo celo ortográfico de su padre y el descuido del empleado distraído que, en el Registro Civil, preguntó el nombre que llevaría la recién nacida y escuchó «Pánfila Pozos», luego de una breve pausa llegó la aclaración ortográfica: «con zeta»; así que, con su mejor caligrafía de principios del porfiriato, el juez asentó «Conzeta» en un acta que nadie leyó hasta que, a los seis años, la niña debió ser inscrita en la escuela primaria.

—¿Pánfila Pozos Conzeta? —interrogó la admirada monja del Sagrado Corazón.

—Sí, madre, es con zeta, por supuesto —respondió doña Ramona Saldaña, mujer de alcurnia que había poseído extensas tierras en el norte de Tamaulipas y acabado vendiendo leche en San Luis, casada con un abogado sin fortuna ni mucha clientela, pero atento a la ortografía de su apellido.

—Eso lo sé bien, mi querida señora Saldaña. Me refiero a que el segundo apellido sea «Conzeta».

—No, madre, el segundo apellido, «Saldaña», es con ese —atajó molesta por la ignorancia doña Ramona.

El malentendido pudo seguir hasta irritar a ambas mujeres, de no mediar el gesto terminante de la monja, quien levantó el acta de nacimiento y, sin decir palabra, señaló con un índice largo y huesudo el nombre de la niña. Al leer que su hija se apellidaba «Pozos Conzeta», doña Ramo sufrió un desmayo.

La niña sobrellevó las desventuras de los ricos y de los pobres durante la guerra civil que duró casi diez años y acabó con minas, cultivos y comercios. Su familia, como la de sus primos, estaba en la completa ruina cuando las aguas volvieron a su cauce. Pero su primo segundo, David Salinas, y tío y sobrino simultáneamente, como ya se dijo aunque es difícil de explicar y no vale la pena ni el esfuerzo de lectura, también con su familia arruinada al finalizar «la Revolución», como ya la llamaban, pronto tuvo el favor de los revolucionarios debido a su brillante inteligencia y a su habilidad para el cabildeo con una buena dosis de astucia y no poca de intriga. «Soy el Talleyrand del presidente de la República», se jactaba. Y nadie entendía qué era eso.

Don David y doña Pánfila eran el matrimonio liberal perfecto: alejados de la religión sin exhibicionismo, ricos sin alarde; con el buen gusto de los nacidos tras generaciones de buen gusto, resultaban una pepita de oro en el río revuelto de los ricos surgidos al olor de la rapiña durante las muchas guerras que ya los discursos oficiales habían integrado en una sola «gesta heroica». Don David encabezaba a toda su familia con el gesto parsimonioso de un patriarca benevolente, mas no por eso menos tirano en cuanto se refiriera a costumbres; por ejemplo, en su familia no había habido ¡ni habría jamás! un divorcio, proclamaba de pie y con pose declamatoria, sin que se lo preguntaran, sólo por si acaso alguien se atreviera a titubear. Su esposa Pánfila, regordeta y dada a los encajes y los listones, hacía la pareja ideal. Y era tía Pánfila quien había encontrado la mejor descripción para la belleza temprana de Olga.

Con Misi calentándole el muñón, Eugenio leía el periódico en el que Isabel se gastaba diez centavos diarios. Matilde acariciaba al gato para acercarse a su padre y disimular caricias furtivas sin arrancar los fieros celos de Isabel. Pasó la página Eugenio y Matilde retiró presurosa la mano, que puso sobre el hombro de su padre como si, a su edad, necesitara ya de un apoyo para levantarse. Una vez en pie, no supo qué hacer y cogió al gato, lo soltó, se limpió las manos en la falda. «Me gustaría tener un chucho», dijo y se arrepintió enseguida, miró hacia el piso, lanzó una mirada temerosa a la cocina. No, Isabel no la había oído, comprobó con alivio. Su padre le cerró un ojo. «Tití, mira hijita, tráeme de nuevo a Misi», pidió. Matilde lo llamó y, luego de colocarlo sobre el muñón, al enderezarse puso un beso rápido en la frente de su padre.

En el diario, una noticia llamó la atención de Eugenio con barahúnda de campanas repicando en su cabeza: el recién elegido presidente de la República, general Lázaro Cárdenas, había nombrado ministro de Bienes Nacionales al general Otilio Zubieta, colaborador de Cárdenas en la Secretaría de Guerra y luego, desde la convención del PNR en Querétaro que lo postuló a la presidencia, organizador de la campaña en el noreste del país. La foto en el diario no dejaba duda: el mismo Otilio Zubieta con quien Eugenio había hecho la carrera en el Colegio Militar, nomás avejentado. Sin pensarlo más escribió una larga carta en la que le recordaba la antigua amistad, cómo habían podido encontrarse en San Luis Potosí tras la derrota de las tropas federales, su renuncia a estas tropas y su paso a las revolucionarias, así como las desgracias sufridas desde entonces. Su pensión vitalicia le era del todo insuficiente porque constituía apenas un cuarto de su anterior salario, que tampoco era bueno. Le pedía intervenir para que su pensión volviera a ser de paga completa y, quizá, hasta obtener una indemnización, porque si bien no había perdido las piernas en acción de guerra, sí había sido en trabajo realizado para la Patria, que escribía con una mayúscula adornada de rizos.

Preguntó por Tono y recibió una fría respuesta:

—No tiene a qué venir. La última ocasión estuviste jugando cartas callado y cerraste todos sus esfuerzos de hacerte conversación. No creo que tenga muchas ganas de volver.

Entonces Eugenio llamó a Olga y le pidió que llamara desde el teléfono del estanquillo al mayor de los Gallardo, a Pancho. Éste pudo en dos días conseguir un permiso y llegó, sin mucho entusiasmo a pesar del afecto que sentía por esa familia: la vivienda no sólo era pobre, sino cruzada por una tensión eléctrica que podía sentirse en la piel, y el ya para entonces capitán Francisco Gallardo había espaciado poco a poco sus visitas, hasta suspenderlas por completo. Se informaba de ellos por Tono, que seguía trabajando en Ferrocarriles, visitando a sus amigos en desgracia y, en ocasiones, lograba sacar a Isabel para llevarla a la Alameda. Eugenio los alentaba a salir porque tendría una tarde para él y en silencio.

Eugenio le pidió al capitán Gallardo que llevara su extensa carta al Palacio Nacional y la entregara, en propia mano, al general Otilio Zubieta. Francisco se puso uniforme de gala y tomó el tranvía al Zócalo. Cuando el ministro fue informado acerca de la visita, hizo pasar de inmediato al joven militar.

—Así que, ¿eres hijo de Eugenio? —dijo con voz cordial un hombre bajo de estatura, traje gris de buen corte y magnífico casimir, entrado en carnes y mirada inteligente.

—No, mi general... —comenzó Pancho.

—Ah, no eres de Eugenio... —dijo abriendo el sobre con un abrecartas de marfil.

El capitán hizo un breve relato de cómo su padre había trabajado para el padre de doña Isabel, esposa del teniente coronel Monteros, y cómo éste le había pedido que entregara el escrito en propia mano.

El ministro le indicó que siguiera sentado cuando el capitán se cuadró para salir del despacho.

—Espérame a que lea y así llevas la respuesta de vuelta.

Varias veces el general Zubieta regresó a una página ya leída y releyó con más atención un párrafo. Al terminar ordenó:

—Espérame afuera, hacia la Puerta Mariana... Me vas a indicar el camino... —y llamó a su secretaria para ordenar que su chofer le tuviera el coche dispuesto.

Al entrar el general a la estrecha vivienda, Olga se encontraba de rodillas, fregando el zaguán con cepillo y enjuagando luego el área con una jerga que, en ese preciso instante, exprimía sobre un balde de agua. Enrojeció hasta el cuello y se puso de pie secándose las manos en el vestido. Trabajaba descalza, así que intentó ocultar sus pies a la mirada del muy elegante desconocido y puso uno sobre el otro, con lo que perdió el equilibrio.

—Pancho... —dijo con voz apenas audible en la que había saludo y reclamo, tanto un «hola» como un «traes a este señor... y yo con estos pelos».

Años después, el general Zubieta le relataría a Matilde ese encuentro y cómo desde el primer segundo se dijo: «Esta belleza es para mí...»

La conversación entre los condiscípulos del Colegio Militar giró en torno a acciones de guerra en las que podrían haber estado juntos sin saberlo, la escasa pensión porque no había quedado impedido en acción de guerra y su convicción de que no era eso lo que más pesaba, sino sus años en el lado federal y que no se rindiera sino vencido.

—No recuerdo, Eugenio, si te dije en nuestros años del Colegio Militar que hice la primaria con Lázaro... Hum... con el general Cárdenas... Así que he andado con él casi desde que empezó a subir. Dos detalles me hacen quitarme el sombrero ante él: que persuadiera al último jefe cristero entrevistándose a solas con él y que, cuando fuimos a parar la rebelión de Escobar recibiéramos un millón de pesos…

—Claro, Otilio, ese detalle es el que resulta más impresionante…

—No me malinterpretes, Eugenio —respondió con una sonora carcajada y un golpe amistoso sobre los botones dorados del teniente coronel—. No, mira… tú anduviste en la bola, me has contado de algunos buenos puestos… Habrás visto: el dinero lo tomaba el primero para que no se lo llevara el segundo… Pues una vez que derrotamos a Escobar, Lázaro regresó lo sobrante, ¿y sabes cuánto era?

—Unos veinte mil pesos… porque ya le habrías ayudado tú a gastarse el millón —rio Eugenio, olvidando por un instante su desgracia.

—Te vas a caer de la cama cuando me oigas: regresó a la Tesorería setecientos mil pesos…

—¿Setecientos…?

—Mil… Setecientos mil pesos contantes y sonantes, sí señor… —se echó un buen trago de tequila sin quitar la vista a Eugenio, que también vació su copa—. Luego, con el presidente Ortiz Rubio me invitó a Gobernación…

—Con el *Nopalito*…

—Con ese mero, el baboso… Duré poco allí, menos que Lázaro; pero, en su boda con Amalia, hace dos años, me invitó a la Secretaría de Guerra… Lo demás ya lo sabes…

Otilio se despidió dejando en la mesa, sin aclaración alguna, un sobre gordo que sacó de su amplio saco, y solicitando permiso para algún día llevar a Olga a comer.

—Pues la llevarás a comer un helado, Otilio, porque es una niña de quince años… —dijo Eugenio súbitamente serio.

No fue por ella «uno de esos días», sino al día siguiente. Y le llevaba un hermoso vestido con holanes de grueso encaje en el escote.

—Pruébeselo, Güera, estoy seguro de que le quedará muy bien.

Desde esa ocasión, siempre la llamaría «Güera» y le hablaría de usted, en un *usted* socarrón y jocoso, pero de usted.

Las visitas del ministro Zubieta a su ex condiscípulo en desgracia comenzaron a prodigarse, cuando la lógica indicaba que deberían irse espaciando hasta desaparecer. De la primera esposa tenía tres hijos mayores, contó. De la segunda sólo un niño, por entonces de cuatro años. La primera había muerto durante la gripa española del año 18. De la segunda estaba divorciado, informó sin mucho detalle al azar de las conversaciones en la vivienda de Guillermo Prieto.

—Eres de mi edad, Otilio... —le reprochó Eugenio llamándolo todo lo aparte que se podía en aquellas estrechas habitaciones—. No, según recuerdo, eres mayor... Y ya hace unas semanas que vienes por Olga... Es una niña... acaba de cumplir quince años, nació cuando murió tu primera esposa... y tú eres un hombre no sólo mayor, sino viudo y casado... Antes la sacabas de día, ahora la quieres llevar a cenar...

Pero Eugenio cedió y al día siguiente, por la mañana, el chofer del ministerio llegó con varias cajas atadas con lazos de seda y las depositó sobre la mesa. Que el general pasaría a las ocho por la niña, dijo al salir.

Eran tres vestidos largos: uno de seda color durazno, otro de gasas azul agua y uno más con estampado de lirios rosa que envolvían el talle. Zapatos y sombreros que hacían juego con cada uno de los vestidos fueron saliendo de sus cajas entre el entusiasmo de Olga. La madre opinó que el vestido color durazno le iba mejor:

—Los otros te echan unos años de más, hija...

Olga volvió temprano, como el general había prometido,

y entró entusiasmada. Eugenio la miraba con tristeza, Isabel con alegría compartida. Matilde, su hermana, con curiosidad.

—Hubieras visto, mamá: allí estaba yo entre puros señores, en un salón privado de un restorán al que se entra por unas puertas de vitrales, con meseros de traje negro y corbata de moño, rosas chiquitas en los centros de mesa, lamparitas de luz tenue, un piano de cola… ¡Mamá, un piano de cola como aquel que tuviste en Saltillo! Y nosotros en el saloncito… una mesa enorme, manteles blanquísimos almidonados, y con una ringlera de cubiertos de un lado y otra del otro, más otros dos enfrente, chiquitos con mango como de hueso.

—De marfil, hijita, de marfil y plata. Así son las cenas elegantes, Olga; deberás acostumbrarte y aprender. Ah, si mi madrecita viviera para instruirte en las buenas maneras.

—Pero no hubiera podido preguntarle. Lo peor fue que, siendo yo la única dama, todos los caballeros esperaban a que yo comenzara, y yo que sólo quería ver cuál tenedor cogían ellos, si uno corto o uno largo que veía a mi izquierda, y ellos que me miraban sonriendo, a la espera de que la dama comenzara. Ay, mamá, si al menos hubiera sido sopa, pues cojo la cuchara y ya, pero no, aquel platito tenía una rebanada de algo esponjoso y unas hojitas de lechuga por un lado, y yo sonriéndoles a los caballeros, y los caballeros sonriéndole a la dama y cada vez con más cara de «comience usted». Total, cerré los ojos y puse la mano sobre el primer tenedor, rebané un trozo y con el alma en un hilo levanté la mirada, expectante, al tenedor que empleaban ellos ¿y qué crees?, tenían el mismo que yo en la mano, el más corto. ¿Te parece que era el correcto? Luego se me ocurrió que lo pudieron tomar, aunque fuera equivocado, como cortesía para mí, ¿no crees, mamá? Tú, que fuiste muy rica y tenías mayordomo en la hacienda y quién te abanicara el pelo para secártelo durante tus ejercicios de piano y todo lo que nos has contado, dime ¿cómo sé cuál cubierto elegir?

—Bueno, hija, tú misma viste ya cómo se elige: primero los cubiertos chicos.

Olga quedó convencida. Pero en otra ocasión los tenedores eran exactamente del mismo tamaño aunque de forma ligeramente distinta y un cuchillo tenía punta aguda y el otro redondeada. Entonces supo que la crianza de su madre en cuanto al comportamiento a la mesa no había sido la mejor. Peor aún, quizá ninguna, pues ¿no había visto siempre comer a Isabel empleando la tortilla en trozos como cuchara y luego meterse el dedo para despegar el alimento adherido a la encía? Las hermanas lo habían considerado un rasgo aprendido en las trincheras mientras seguía a su recién adquirido y atractivo esposo para cuidarlo de las soldaderas ofrecidas; pero Olga vio entonces la primera rajadura en las historias de alcurnia que luego a su vez repetiría, sin mengua, a sus hijos, sobrinos y nietos.

7

Una boda muy discreta

EN SALTILLO, un joven de veinticinco años y bien plantado, Gerardo Silveti, llevaba la cuenta de los años cumplidos por Olga: «Quince», se dijo, y, transcurrido un mes, llegó a la muy modesta casa en la calle de Guillermo Prieto, acompañado de padre y madre, a pedir formalmente la mano de Olga.

Se encontró la sorpresa de que los padres aceptaban gustosos, pero Olga no. Encerrada al fondo, en el baño, murmuraba detrás de la puerta a una angustiada Isabel que veía un magnífico partido para su hija, que había dejado de quererlo.

—Le había dicho que sí… que cuando cumpliera los quince… Pero no me voy a casar con él… Ya no lo quiero… Además, tenías razón: es familia de toreros y no quiero que me lleve a la plaza de toros vestida de manola y con claveles en la peineta… No… Ya lo olvidé…

En el general Zubieta, con cincuenta y seis años, había encontrado un hombre de agradable y fácil conversación, con sentido del humor, inteligente e instruido. En uno de sus paseos en auto oficial, con chofer uniformado, le mostró el libro de matemáticas que había escrito. Olga miró con arrobo el nombre escrito en letras de molde, doradas sobre tela verde oscuro, y lo abrió con emoción: nunca había estado junto a una persona que hubiera escrito un libro. Y, además, aquel libro estaba hermosamente encuadernado, no como los de su escuela, con tapas de cartoncillo. Y al mirar algunas páginas no entendió nada. El general tenía que ser un gran hombre.

LA ANFORITA diaria de tequila y las arias de ópera por la radio hicieron menos audible a Eugenio el abusivo lenguaje de Isabel, que no cesaba de tratarlo como a un bulto inútil. Entonces volvió su cuñado David y le arrojó una pistola sobre el pecho.

—Te ofrezco un empleo en la Cámara de Diputados. Tendrías que aprender a usar tus prótesis. Pero también puedes darte de una vez un balazo.

No aprendió a usar las prótesis, principalmente porque no soportaba el dolor que le producía el arnés; pero tampoco se disparó con la pistola de David ni con la suya propia: su hermano Ignacio se estableció en la ciudad de México, lo trasladaba de Durango la compañía minera donde trabaja hacía diez años. En su primera visita, obligó a Eugenio a ponerse las prótesis y constató el sufrimiento que le causaban, el sudor helado en su frente, su incapacidad para sostenerse en dos piernas artificiales. Entonces buscó una alternativa para su hermano, que si bien era menos elegante, al menos le permitiría moverse en cuanto se sobrepusiera al orgullo, y le mandó hacer un tubo de cuero para atar a la rodilla que conservaba e hizo recortar las muletas. También le regaló una máquina de escribir:

—Pasa en limpio tus notas de Payo Obispo… Haz algo, Eugenio, escribe tu proyecto…

Eugenio llenó varios legajos con datos sobre pies cúbicos de caoba y cedro rojo, producción de chicle, explotación moderna de la abundante pesca, muelles de chicozapote. Diseñó casas de mampostería y techo fresco de huano para que los trabajadores y sus familias dejaran las de vara. Proyectó una ciudad: el lugar para la escuela primaria y el de la secundaria, los salarios de unos y otros trabajadores, la integración del sindicato. Construyó una ciudad rica y armoniosa.

El teniente coronel aprendió a subir a tranvías para ir, de ministerio en ministerio, presentando sus estudios sobre la riqueza maderera de Payo Obispo. Aquel hombre que había sido alto y bizarro, guapo como pocos, quedó al tamaño que había tenido hincado en su misa de bodas.

Regresaba con muchas promesas de las diversas secretarías a beber y escuchar ópera por radio mientras extendía solitarios por la colcha de su cama. Isabel no había perdido únicamente la hacienda familiar, la enorme casa bajo los nogales, y su largo pelo hasta los tobillos, sino su piano, y escuchaba con torvo rencor la música que Eugenio tarareaba.

—Baja el volumen, está muy fuerte y me duele la cabeza.

—No te gusta la buena música, mujer.

Apenas terminó la última sílaba supo el gran error cometido. Isabel apareció con las tenazas del carbón en la mano, la quijada proyectada al frente, las peinetas con las que mal se detenía el pelo que nunca aprendió a peinarse, cayendo, y le hizo saber la mucha música que ella había estudiado cuando era rica y su madre la cuidaba de gentuza como él, con quien nunca le habría permitido casarse, y menos con vestido de renta, porque no era de su clase ni merecía una mujer tan hermosa... y... y había tenido los cabellos hasta el suelo y una sirvienta sólo para lavárselos y peinárselos mientras la sentaban al piano.

—Ya, ya, por unos valses bonitos que sabes... Te los escuchaba en Saltillo, ¿recuerdas?; eso no es buena música. Nunca te oí siendo novios, o luego cuando tuvimos piano en Saltillo, con Olguita niña, ni un Chopin, un Mozart... Valsecitos, valsecitos, que no estaban mal y para de contar.

El alarido de Isabel fue instantáneo:

—¡¿Y la *Serenata* de Schubert, infeliz, y la *Serenata*?!

—Hace una semana la pasaron en esta misma estación con un barítono alemán... La tocas mal, mujer, él no pega ese saltito: lasi, larré, un tresillo es un tiempo: lásilarré, y tu mentada maestra no alcanzó a enseñártelo —dijo ya ensañado, dispuesto a lo que viniera, bufando por entre los bigotes, con encarnizamiento de animal amarrado.

Apenas terminaba y tras un alarido de Isabel siguió el golpe con las tenazas restallando en el muro junto a Eugenio, que las libró. Luego las convulsiones, las manos frenéticas arrancándose la blusa, los pechos al aire, las voces entrecortadas acerca de su sagrada madre, su adorado hermano David, y los hijos que había perdido por los descarríos de Eugenio, por su libertinaje y el tipo de mujeres que frecuentaba y lo contagiaban de enfermedades que ella no se atrevía ni a nombrar dentro de la propia casa... y las nombraba todas, una por una, y él, en cambio, no pensaba en sus hijas, no evitaba besarlas con esos labios sucios que transmitían enfermedades de prostíbulo.

Cuando Olga y Matilde volvieron de la escuela, no había comida porque Isabel la había arrojado contra el suelo.

LEYENDO EL DIARIO abandonado en desorden por su padre tras el desayuno, el suave arco de los labios de la santa Ana adolescente contemplando cariñosa a María se endurecieron ante una noticia: el presidente Lázaro Cárdenas condena la intervención del «jefe máximo», general Calles, echa a los callistas del gabinete: saca de Agricultura a Garrido Canabal, protector de los «camisas rojas», y pone en su lugar a Saturnino Cedillo, clerical.

—Para esto perdiste la hacienda, mamá, en donde ahora no crece más que hierba porque los ejidatarios cultivan menos de la mitad, según dice el tío David. Los únicos enriquecidos han sido estos políticos que ya se están peleando otra vez, arrebatándose lo que nos quitaron —miró con dureza a su padre, ocupado en sintonizar el aparato de radio de donde emergía una canción de moda: «Viva mi desgracia»—. ¿Volverías a las trincheras, papá?

—Cállate, Marisabidilla, y recoge la mesa —gritó destemplada Isabel desde la cocina—. Mi madre santa murió en la miseria, en un cuarto con piso de tierra, pero tu padre decía que era la justicia del pueblo; allí lo tienes, que te responda: a ver, explícale a tu hija, Eugenio, si es que no te da vergüenza.

—Todo cambiará, hija —Eugenio la besó en la frente—; no tienes idea de las riquezas que he visto en el territorio de Quintana Roo: los bosques de caoba que se extienden sin fin y con los que compraríamos a los ingleses sus compañías petroleras; ya lo pide mucha gente. Cárdenas está ocupado con la crisis: la desaparición de poderes en media docena de estados… es obra suya, entre otros la Tamaulipas de tu madre. La soberbia de las petroleras y su desprecio por nosotros deberán tener respuesta.

—Pero cuál compra, si el petróleo es nuestro, papá.

—Pero no las instalaciones que lo sacan, Olga; la inversión fue hecha por las compañías. Habrá que pagarles. En Payo Obispo dejé trazada una pista de aterrizaje, así podrán llegar los ingenieros; ya verás qué carretera tendremos.

—El que vio fue otro, ya sé a quiénes veías en tu famoso Payo Obispo.

El tono metálico de Isabel predecía tormenta. La voz le había cambiado y la mandíbula comenzaba a temblarle.

—Otra vez, mujer, otra vez. Ya te dije que no hay mujeres, vaya, ni siquiera vacas: es la selva. Hay víboras y caimanes hasta en las calles.

—Mientes, Eugenio, mientes como lo has hecho siempre —Isabel estaba en la puerta de la cocina con el pelo desordenado a pesar de unas peinetas mal dispuestas, la mirada fulgurante y una cuchara de madera de la que escurrían fideos—. Como si no supiera yo de los cargamentos de mujeres que les llevan a los hombres de por allá, y tú que poco necesitas, ¿ya se te olvidaron las que te descubrí en Arandas? Años en ese pueblo...

Eugenio se tumbó en la cama sin responder. Isabel descargó la cuchara de madera en la cabeza de Olga:

—¡Te dije que limpiaras la mesa! ¡Pero siempre has de estar en tus litigios con tu padre! ¡Porfiada y necia, yo no existo para él ni para ti!

La crisis se había desbocado como ocurría siempre, sin aviso ni motivo, y una lluvia de cucharazos cayó sobre una hermosa santa Ana, casi niña, deshecha en lágrimas.

Inmóvil, sin atreverse a hablar ni a delatar su existencia, la pequeña Matilde hacía esfuerzos por no llorar. Olga salió de prisa a la calle. Isabel fue tras ella exigiendo que volviera a cumplir con sus deberes, y le rompió la cuchara en la cabeza frente a la carbonería. Salió el carbonero a los gritos de la niña:

—Véngase conmigo, mi reinita, yo no le pegaré nunca —dijo mirando con furia a Isabel.

No con el carbonero, pero pronto Olga encontró la salida del infierno. Con el general Otilio Zubieta. Cuando éste pidió la mano de Olga no la obtuvo de inmediato. Eugenio le pedía esperar a que cumpliera dieciocho. Pero Olga convenció a su padre con un argumento definitivo:

—Si no me entregas, papá, me voy con él… —y la luz en su mirada dijo a Eugenio que era perfectamente capaz.

Fue una boda muy discreta. Sólo por el civil porque seguía casado por la iglesia con su segunda esposa, aunque divorciado, aseguraba. El juez del Registro Civil llegó a la modesta casa en el número 50 de Guillermo Prieto e hizo lo conducente. Descorcharon un par de botellas de buen champaña llevadas por Zubieta, pero no había invitados entre quienes repartirlas y las niñas, incluida la novia, no bebían. Isabel hizo notar que era exactamente la marca que se bebía en la mansión de su madre y remató con un largo sollozo los recuerdos de infancia. Luego preguntó a su yerno el motivo de que no hubiera invitado a los importantes políticos que de seguro eran buenos amigos suyos.

—Llegué a pensar en que podría venir el mismísimo presidente, siendo tan amigo suyo. Nosotros no somos de aquí y por eso no tenemos amistades, pero Olga es sobrina de un presidente de la República, ¿sabía usted?

—Todos están agobiados por los problemas que atañen a la patria, graves por desgracia. Yo logré escapar por unas horas… Y, sí, mi querida suegra, ya alguna vez me habló usted de Manuel González… Hum… cómo le diré… Por ahora, don Manuel no es muy buena referencia.

Isabel mostró una sonrisa forzada e intentó argumentar sobre las buenas cunas y el orgullo de tener un presidente de la República en la familia, pero el novio, acomodándose el ramito de azares del ojal, la interrumpió sin miramientos:

—Mi digna suegra: mencione usted al Manuel González héroe de Puebla y procure que nadie recuerde esa presidencia: se lo aconseja el ministro de un gobierno de la Revolución. Y ¡salud!

Chocó su copa contra las de sus suegros e Isabel apuró el contenido completo para tranquilidad de Eugenio y de sus hijas porque significaba que no tenía prisa por rebatir las palabras del ministro.

Tampoco hubo viaje de bodas porque el presidente no podía permitir que se ausentara uno de sus secretarios de Estado: estaba echando a patadas a los callistas con la habilidad necesaria para que la crisis política no se resolviera por las armas, venía un conflicto internacional entre Italia y un remoto país africano llamado Abisinia, o algo así. Era imposible alejarse de la capital, ya no digamos del país.

—Pero no se preocupe, Güerita, usted tendrá su viaje de bodas. Nomás déjeme resolverle al presidente un par de asuntos que no pueden esperar…

Terminado el brindis, el ministro salió con su esposa del brazo, el chofer le abrió la portezuela a la señora y salieron dejando el corazón de Olga en los ojos de su hermana menor y de su padre. Olga agitó un momento su mano por una ventanilla. Fueron a tomarse fotografías a un local donde todos los ricos se hacían retratar frente al mismo telón pintado con esmero para mostrar un cortinaje a medias recogido por un lazo. El fotógrafo hizo tomas de la pareja y luego insistió en hacer otras de la novia sola «por el mismo precio». Zubieta la llevó a una hermosa casa de dos pisos, cubierta de enredaderas, y le mostró una recámara fastuosa. No estaba lejos de las llamas que Olga creía dejar para siempre. A través del patio donde crecían dos naranjos, una gran magnolia y una araucaria, vio luz y bajo la luz de un candil de porcelana con guirnaldas de rosas, una mujer vestida con elegancia y un niño pequeño montando un caballito de madera: era sólo el principio de lo que la haría maldecir a Zubieta con las comedidas palabras que se permitía: «Que Dios lo tenga en lo más apretado del infierno».

—Estamos divorciados —aclaró de inmediato el recién casado—; pero no se ha ido: le estoy buscando alojamiento.

El niño, un hermoso chiquitín de cabello muy rizado, escuchó las voces y dejó de balancearse en su caballito, cruzó corriendo el patio y saltó a los brazos de Zubieta:

—¡Papá! ¡Vi los leones en Chapultepec!

—¿Los de bronce o los de verdad en el zoológico?, hijo... —y lo levantó en vilo—. Mira, ésta es Olga... Y éste es Sergio... ¿Cómo se dice? —preguntó al niño, que permaneció en silencio, mirando a Olga con bellos ojos y mirada inteligente—. Que cómo se dice... Cómo dicen los niños bien educados...

—Mucho gusto, señora —y le tendió la manita.

—Ya ve, diantre de muchacho malcriado, ¿qué trabajo le costaba decir algo tan sencillo? —Y le plantó un bofetón, no muy fuerte, pero dejó huella en la mejilla. Pareció que iba a soltar el llanto, pero su padre lo encaró—: Ah, ah, ¿ah, sí? ¿Vamos a llorar por nada? —y el niño se tragó el sollozo.

Sergio se ganó a Olga desde el primer instante, crecería con ella, dormiría en su cama cuando tuviera miedo, y se distanciaría de su padre en cuanto pudiera. En cuanto a la madre, Olga dijo en el desayuno, tras una noche de bodas muy lejos del ideal, que no le parecía correcto vivir bajo el mismo techo que otra señora. Su marido no respondió y dio vuelta a una página del diario que leía: nubarrones en España por algunos actos de la joven República, acusada de perseguir a curas y monjas. «¿Tendrán su propia guerra cristera?», se preguntó el general sin atender a su esposa. Sara, la madre de Sergio, se hizo llevar el desayuno a su recámara, pero el niño debió sentarse correctamente a desayunar con su padre. Zubieta no necesitaba divorciarse de Sara, porque no estaba casado. Lo sabría Olga tres días después, cuando fuera a buscar las fotografías de su boda.

Presentó el talón al propietario añadiendo:

—Están a nombre de la señora de Zubieta.

Una mujer alta y gruesa, de unos cincuenta años bien conservados, vestida con gran elegancia, sentada en el sillón de mimbre donde Olga y Otilio habían esperado los preparativos para la serie de fotografías, se puso en pie y se acercó a Olga.

—Así que... usted es la señora de Zubieta...

—Para servir a usted, señora...

—Señora de Zubieta...

Olga creyó que comenzaba la frase, pero no era así: concluía la de Olga que había terminado en «señora...» y la dama añadía el nombre que debía seguir a «señora». Confundida, Olga esperó algo así como: «Señora de Zubieta: Mire usted... bla, bla». Pero la dama precisó:

—Soy la señora de Zubieta... No me mire con ese azoro, criaturita celestial, no, no de otro Zubieta, sino de Otilio. Es con Otilio con quien usted dice haberse casado, ¿no es así?

Olga asintió con la cabeza sin poder responder y alisó la falda de su vestido, uno de los muchos regalos de boda que la habían esperado en cajas apiladas sobre la alfombra clara de su habitación. La señora abrió un enorme bolso de piel de cocodrilo que hacía juego con zapatos y cinturón, se levantó un poco el velito del sombrero, y hurgó en el interior...

—Mire usted, preciosa criatura: ¿es éste el Otilio Zubieta que la ha hecho su esposa?

Le presentó una fotografía enmarcada en plata, como si la hubiera tomado de una mesita, donde ella y un joven que podría ser hijo de Otilio sonreían a la cámara, ella en traje blanco de novia y él de traje negro, con azares en el ojal del saco. Vio la fecha en la esquina inferior izquierda: 1912. «Es mayor que mi madre» fue la reflexión, trivial, que se le cruzó por la cabeza.

—Como puede usted ver, no estoy muerta. Pero le informo que tampoco estoy divorciada. Soy la verdadera esposa de ese hombre con el que usted cree haberse casado. Con permiso... le auguro a usted años muy amargos, y no serán por mi cuenta... De mí, despreocúpese, no la molestaré, sólo estuve esperando aquí, nada, unas horas, para tener el gusto de conocerla y, en efecto, es usted un ángel... Ya están allí sus fotos, mire —señaló el paquete sobre el mostrador y salió dejando una ligera estela de aroma fino.

Olga tomó el paquete de sus fotografías sin levantar la mirada y salió de prisa, enrojecida de vergüenza hasta la raíz de los cabellos castaños; no fue a su nueva casa, sino a la de sus padres, a la que había dejado para no volver nunca jamás. Dijo que deseaba salir con Matilde y mostrarle sus fotos de boda.

—Pues déjanos verlas a nosotros, ingrata —dijo con suavidad Isabel—. Tu padre salió a hacer el ridículo arrastrando su media humanidad cargada con sus cartapacios de secretaría en secretaría, pero ya volverá y le gustaría verlas.

Le dejó las fotos a su madre y tomó del brazo a su hermana menor. Al salir escuchó que Isabel le preguntaba si no había ido precisamente para mostrar las fotos de boda a Matilde, pero Olga se apresuró a alcanzar la calle como si no hubiera oído. Relató a su hermana los hechos recientes.

—Y ahora... ¿qué voy a hacer, Tití? —dijo con voz ahogada—. ¿Te imaginas cuando mi papá se entere de *la Verdadera*? Y no digamos de esa otra que tiene allí nomás cruzando un patio.

—Por supuesto que no debes decirle nada... ni a nadie. Habla con don Otilio. Por lo pronto, que te lleve a otra casa en lo que se va esa... esa que tiene allí en la misma casa. Hum, pero qué diantre de baquetón.

—Ya me lo ofreció... Tiene un... un chalet le llama él, antes de llegar a Cuernavaca. Me llevó a ver esa casa... Es preciosa, con un portal de arcos blancos y tejas rojas, entre pinos porque está en la parte alta, donde la carretera da muchas vueltas... Creo que me iré a vivir allá... Pero estaremos lejos, hermanita... Quisiera que estuvieras conmigo, Tití...

En adelante, para referirse a la elegante dama entrada en años y en carnes, las hermanas le dirían la Verdadera. Y es que no desapareció de inmediato. Otilio apresuró los trámites, que en efecto había estado haciendo, para concluir su divorcio. Sara, con quien no se había casado, tuvo un departamento en las hermosas calles transversales al Paseo de la Reforma; pero Sergio se debía quedar con su padre. Era la condición.

EUGENIO SE EMPLEÓ como velador en la Cámara de Diputados y así pudo sustraerse a los tormentos, pullas y crisis de su mujer. Olga aprendió a fumar para disimular su nerviosismo en las reuniones de altos personajes a las que asistía como esposa del ministro, y Matilde obtuvo empleo en la misma oficina del ministro, como una de las secretarias.

Isabel y Matilde se mudaron a una casa un poco más amplia, otra vez en la colonia de los Doctores, en Doctor Liceaga. El propietario, supieron por Otilio, era el mayor de sus hijos con la Verdadera de marras y les dejaría en muy buen precio la mensualidad.

8
Hans Beimler

EUGENIO HIZO un último esfuerzo: bien rasurado y bañado admiró sus brazos, que el caminar con muletas había vuelto fuertes y definidos, se vistió como siempre su uniforme de teniente coronel, ladeó un poquito su kepí, se colgó del cuello la cartera de cuero con los varios cartapacios que contenían el grueso expediente de su proyecto en Payo Obispo, y salió del dormitorio que le habían adaptado en la portería de la Cámara de Diputados. En la calle de Donceles había un sol magnífico esa mañana fresca, y se dirigió a la Secretaría de Gobernación.

Lo trataron como siempre, con respeto; pero el ministro había salido... No, no sabían cuándo lo podría recibir... Sí, el secretario particular tenía buena opinión de su proyecto para el territorio de Quintana Roo, era magnífico, y ojalá algún día se pudiera llevar a cabo... Pero, ya ve usted, mi teniente coronel, el país está pasando por problemas muy serios... Vuelva dentro de unos... unos dos meses, a ver si hay manera de considerar este ambicioso proyecto.

Cuando logró llegar ante el secretario del secretario de Gobernación se limitó a poner sobre su escritorio los cartapacios numerados y gruesos, cinco en total:

—Conozco bien las dificultades que tenemos con las compañías petroleras, la rebelión clerical en España... Pero este trabajo no quiero conservarlo conmigo: se lo regalo, señor secretario. Revíselo cuando tenga un tiempito: es un detallado recuento de nuestras riquezas en el territorio de Quintana Roo y los programas que allí se podrían comenzar. Yo, como usted puede ver, ya no estoy capacitado para dirigir su realización. Le regalo mis cálculos y estudios. Será por el bien de mi patria.

—Mi teniente coronel... —lo detuvo precipitadamente cuando intentaba salir— de ninguna manera puedo aceptar estos trabajos. Déme usted un tiempo y le consigo una cita con el señor ministro.

Eugenio tomó sus cartapacios, dio media vuelta y salió apoyado en su rodilla con un tubo de cuero, como el de una bota, y sus dos muletas recortadas. Nunca regresó a preguntar por la cita.

—GÜERA... YA habrá usted oído decir que las cosas no andan muy bien con las compañías petroleras...

—Pues lo que usted y sus amigos conversan, don Otilio...

—Le digo un secreto...

Terminaban el desayuno, la cocinera había recogido los platos y servido café con leche en grandes tazones.

—Pues usted dirá...

—El señor presidente me envía a Alemania y a Francia: debo hablar con los embajadores para que nos consigan equipo y asesoría técnica... Cárdenas quiere abrir una escuela de estudios técnicos: ingenieros electricistas, especialistas en perforación de pozos...

—Y... ¿qué pozos piensa perforar el presidente?

—¡Ah! ¿Pues cuáles van a ser?... En fin, con lo que le digo basta. ¿Qué le parece?

—Hum… pues que me gustaría esperarlo en la casa de Cuernavaca y no aquí, don Otilio.

—No me ha entendido: usted me acompaña, Güera… Es su viaje de bodas, no olvido que se lo debo.

Olga abrió los ojos con sorpresa contenida.

—¿Mi viaje?

—Eso… Su viaje, Güera: Berlín, París… Europa… Primero nos vamos en tren a Nueva York en coche Pullman con servicio de restorán y camas, y allá le compro algo de ropa, pasamos una semana y luego, en un gran trasatlántico, llegamos a Inglaterra.

Olga saltó a las rodillas del general y le cubrió de besos la frente, como hacía con su padre en ausencia de Isabel.

VOLVIÓ DE EUROPA con una hermosa estola de zorros, un traje de baile de lamé dorado y dos maletas grandes llenas de ropa y regalos para sus padres y hermana. Pero no habló nunca del Berlín donde ya gobernaba Hitler, no vio vitrinas rotas ni tropas en uniforme caqui por las calles ni supo de manifestaciones de millares en perfecta alineación a la luz de antorchas; de París tampoco tuvo anécdotas ni recuerdos de los que se ofrecen a nietos y sobrinos.

Tuvo uno, que compartió únicamente con su hermana menor sentadas en los muebles de mimbre del patio, bajo los naranjos y pasando algo de frío. En la cocina se prepararon una jarra de café entre risas y recuerdos.

—Eres muy valiente, Olga, ¿cómo pudiste regresar sola?

—Mira, a las dos semanas ya Otilio me había llevado a grandes cenas y a visitar tanto monumento y joya de la arquitectura, que ni te cuento. Estaba cansada, oyes. Y él debía ponerse a trabajar en serio por algo así como otro mes completo. ¿Te imaginas, hermanita, yo todo el santo día en el hotel de Berlín, con temor de salir a la calle y perderme, no poder preguntar por esa calle Kun..., con un nombre larguísimo, y... no, no, me da escalofríos. Así que hizo bien en ponerme en un barco que me dejó en Veracruz. Telegrafió a su oficina para que fueran a esperarme y regresé en coche, con un buen chofer para cargar estas pesadas maletotas...

Un chispazo de picardía le pone los ojos brillantes.

—Estás recordando alguna travesura, Olga, hermanita... No lo creo...

—Pues, sí, Ma... tuve una, pero te juro que no pasó nada...

—Me tienes en ascuas, oyes, no lo puedo creer... ¿Y si se entera don Otilio?

—No hay nada de lo que pueda enterarse porque, de verdad, te juro hermanita, no pasó nada, pero pudo haber pasado...

—Suelta ya la lengua, mujer... Ponle otra cucharadita de café o dos, que así parece agua de calcetín.

—Se las pongo, dos y media, que a mí también me gusta cargadito. Nomás vieras el buen café en París y en Berlín, y dice don Otilio que no producen ni un grano de café. Eso sí, te sirven muy poquito. Pues, te decía, tú... con el capitán del barco... Un hombre extraordinario: guapo, atento, hablaba español... no siempre le entendía, pero me hablaba más con los ojos... No sabes qué ojos... Y pues todo comenzó con que yo iba sola, en el camarote me moría de hambre y ya habían pasado anunciando la cena con una campana y gritos en alemán, francés e inglés... En fin, entendí que era la hora de cenar. Debía uno vestirse bien para ir al comedor, tú sabes: vestido largo, joyas... Así que me puse elegantísima, me eché encima los zorros que tanto te gustaron y de la puerta de mi camarote me regresé y caí sentada mordiéndome las uñas: ¿qué iba a hacer? ¿Cómo llegaría a la puerta del restorán, yo sola, y bueno, pues sé decir «mesa» en inglés: téibol... Pero me iba a sentir ridícula... qué tal si me preguntaban algo más, como «la quiere usted en esta área o en aquella otra» o yo qué sé, me podían preguntar algo y no entendería ni papa...

»Pues allí me tienes, a piense y piense que si me dormía sin cenar al día siguiente debería desayunar... Bueno, pues para no hacerte el cuento largo, me envolví en los zorros hasta los ojos, tú, apenas si podía ver por dónde caminaba, veo de lejos la gran vidriera del restorán, oigo una orquesta tocando y el corazón se me desboca... Me detuve aterrada y ya me iba a regresar cuando veo que me sonríe el recepcionista, ya ves, el encargado de asignar mesas, pues ése... y me está esperando con su gran sonrisa... Así que me cubro con los zorros hasta ver apenas entre los pelos y muy derecha llegué hasta donde aquel hombre ya se estaba inclinando con una reverencia... Me dijo algo y entendí que era un saludo así que yo le dije *gud náit* y que voltea a mirarme sorprendido, oyes, no sé por qué, estoy segura de que lo dije bien: *gud náit* bien clarito... y me acompañó a una mesita donde había un solo servicio... Yo no lo podía creer: era una mesa reservada para mí, para mí sola, con mi nombre en una tarjeta al lado de unas rosas amarillas apretujadas en un ramo muy bajito... Me retiró la silla y en cuanto me senté ya tenía enfrente un menú enorme forrado de piel color guinda y lo abro y no entiendo nada, tú... Saqué un cigarrillo y dos meseros cayeron a mi lado con encendedores... Bueno, casi me atraganto... Le di una fumada y como si no tuviera importancia comencé a leer aquello... Y pues nada que entendía...

»En eso llega el recepcionista y me dice algo señalando hacia una mesa… y, anda tú, que veo al hombre más guapo que te puedas imaginar, con un saco azul de botones dorados y galones en las mangas, así que me imagino que es el capitán, el capitán del barco… Y está de pie, sonriéndome e indicándome un lugar a su lado… El recepcionista que, bueno así le digo yo, ya tiene mi estola en el antebrazo y ahí me tienes, tú, con las piernas flojas, caminando en aquel salón alfombrado y con flores en todas las mesas, manteles blancos hasta el suelo, brillo de cubiertos y de porcelanas, y me dije "qué bueno que vengo muy bien vestida" mientras cruzaba entre señores de esmoquin y damas con joyas relucientes.

»Me pareció una eternidad, pero llegué, sana y salva, tú, sin tropiezo alguno, y estaba por decir mi *gud náit* al capitán, cuando me dice "buenas tardes, señora", en español. Y se presenta como el capitán del barco, y se llama Hans, como tantos alemanes, Hans Baimler, creo, o algo así, "pero no soy comunista como el de la canción española", aclaró y la verdad es que no entendí cuál canción, tú. Me siento y saco otro cigarrillo y me entretengo en colocarlo en una boquilla de carey con plata, que me regaló Otilio en París, porque el corazón me daba vuelcos, mientras un mesero nos sirve champaña y otro nos pone unos como panquecitos cubiertos de caviar… que, bueno, Ma, ya lo había comido en París en un restorán que, me dijo Otilio, era el más elegante del mundo y allí habían comido no sé cuántos personajes, tú; así que, bueno, pues ya sabía que aquellos huevecillos grises eran caviar».

—¿Y a qué sabe? —preguntó con entusiasmo Matilde, extasiada con la conversación de su hermana.

—Pues mira, a pescado… En París nos lo llevaron en

una fuente de plata llena de hielo raspado y dentro un tazón de cristal con una cuchara de concha nácar… grande, haz de cuenta una cuchara sopera. Yo no le encontré mucho la gracia, pero don Otilio me decía que era el mejor caviar que existe y se veía que de verdad lo disfrutaba, tú. Bueno, Ma, pues eso me ayudó para no quedarme mirando aquel platito de porcelana casi transparente y me lo supe comer, hasta le puse un poco de huevo duro picadito fino fino. Y estuve atenta a que no se me quedara un huevito negro entre los dientes… como… ¿te acuerdas?

—¡Claro que me acuerdo! —rio con ganas Matilde—. En aquella cena cas'el tío David, a la tía Pánfila se le quedó un hollejo de frijol en un diente y lo mostraba cada que se sonreía y hasta cuando hablaba, y el pobre tío, ¿recuerdas eso?, le hacía señas, se ponía el dedo en un diente, le movía las cejas… y todos estábamos ya más atentos al tío y a sus señas disimuladas que al hollejo en el diente de la tía, oyes… —y las dos hermanas sueltan una sonora carcajada…

—École, ecolecuá… Mira que lo recordé en la mesa del capitán… y por eso me aseguraba bien de no tener nada… Ay, mira nomás: la tía Pánfila, tú… Luego debo ir a visitarlos, les traje unos regalitos… Pero ven, vamos al patio y nos sentamos entre los naranjos, hace un fresco muy rico, ¿qué estamos haciendo aquí en la cocina?

»Pues no sabes qué noche, Ma, todo fue maravilloso, la orquesta tocó *Sobre las olas* dedicada para mí, el capitán era uno de esos cuarentones con canas en las sienes, ojos azul oscuro y barba muy cortita, castaña. ¡Y las manos, Ma!, grandes y gruesas, de un hombre de verdad, cuerpo atlético de hombros anchos… Lo creí cuarentón, pero tenía treinta y ocho años. "Los cuarenta los pienso cumplir junto a una mujer como usted, Olga…" Que era divorciado. "Hum, ésa ya me la sé", le dije sin explicar más. Pero me lo volvió a asegurar tan sencillo el hombre que le creí, tú... Íbamos por el Canal de la Mancha, según me explicó, así que ni siquiera habíamos salido al océano».

—En nada se parece a don Otilio... —comenta risueña Matilde.

—Qué mala eres, Tití... Pero tienes razón: era alto y fornido, y con su uniforme azul marino de alamares dorados, ¡ay, Dios!, parecía salido de una película... Además, encantador... Me hizo plática durante toda la cena, me reí mucho... Cuando supo que era mexicana y no española, como había supuesto por mi nombre, habló muy bien del general Cárdenas. Yo le conté quién era mi marido y por qué se había quedado en Alemania. «Tienen ustedes mucha suerte», dijo, «aquí nos esperan tiempos difíciles...» Fue el único momento en que lo vi perder la sonrisa encantadora.

»Luego me invitó a pasear con él por el barco. Y ahí me tienes, tú, muy de ganchete del capitán que saludaba pasajeros en alemán, inglés y francés mientras hablaba español conmigo... que si mi nombre era de princesa rusa, y que si ninguna hija del zar me hacía sombra, tú... Las que mataron, pues... Bueno, yo que casi me lo creía... Me llevó a ver la cabina de mando y luego a la cubierta, a ver estrellas... Da miedo, Ma, saberse en medio del mar y no ver nada, y el barcote da seguridad, pero ya ves lo que pasó con el *Titanic*, y mi barco también iba primero a Nueva York, antes de seguir a Veracruz, así que iríamos por el mismo camino.

»A veces veíamos luces, muy lejanas... "Es Holanda", me dijo. No sé cómo salió que a mi papá le gustaba la ópera, y cuando dije su nombre, mira, pues, que va por un disco y me lo regala, se lo envía a mi papá. Que era, me dijo, de una ópera de Chaikovski, ya sabes: ése del *Lago de los cisnes* que oye mi papá, tan bonito; pues, oye, pone un aria donde un Eugenio, como papá, le canta a una Olga, mira tú. Nomás comenzó y salió al barandal conmigo, dejando la puerta abierta para oír la música. ¡Ay, Tita, no sé... creo que le vi lágrimas!, al menos unos ojos muy brillantes y muy tiernos, pero el aria estaba en ruso, tú, y me señalaba con el dedo cuando aquel Eugenio decía "Olga", que eso sí lo escuchaba clarito: "Olga, Olga..." Como el disco traía la letra en inglés y alemán en un sobre interior, empezó a traducirme, se preguntaba "A dónde, a dónde se habían ido los días de su juventud...", suena muy bonito en ruso, ¿vieras?; pero no terminó y metió la letra en la funda del disco. Mira, pues, que creo que se emocionó mucho, tú. Y me acompañó a la puerta de mi camarote. Que al día siguiente estaríamos unas horas en Southampton, un puerto de Inglaterra, antes de salir a Nueva York.

»Qué te puedo decir, Ma, fue una semana en que estuve flotando. En Nueva York bajé con él, arregló unos papeles y me llevó a comer».

—Me estás ocultando algo, hermanita, te conozco mosco que volando picas...

—École, pues sí... Camino a Veracruz... —hace una pausa muy larga en lo que mete en su boquilla un cigarrillo y lo enciende con parsimonia. Encima de ellas se oye rechistar a alguien, «chsst, chsst», y Matilde se aproxima temerosa a Olga—. Es la lechuza, Ma, así hacen. Está en aquella magnolia.

Ya tranquilizada, Matilde pide continuar:

—Sí, Olga, «camino a Veracruz...»

—Pues ahí tienes que me propone matrimonio: «Te divorcias, Olga, y nos casamos en Alemania». Para esto, bueno, no sabes, yo estaba inflada como un pavo real, tú: que era una diosa griega, Afrodita; que qué Helena de Troya ni qué ocho cuartos… Que yo debía estar tristísima porque se me había muerto Botticelli sin hacerme un retrato… Que, no, no, no, para qué te cuento. «A veces eres algo cursi, Hans», le dije en una de ésas…

—¡Ah…! ¡Ah! ¡Vaya, con que esas tenemos!… Con que ya «Hans» y todo, a ver, a ver, suelta la verdad: conociste un hombre por primera vez, porque don Otilio ya es muy grande…

—A ti no te lo negaría. Pero fíjate que no. He de ser algo tonta, oyes. Pero, cómo te diré… Cuando… y casi para los quince días, llegando a Cuba, me invitó a tomar una copa a su camarote… Créeme… ganas no me faltaban, pero nomás de pensarlo me sentía… una… una pe-u-te-a… Y no acepté. Tampoco el matrimonio. Mira, con Otilio tengo a un hombre mucho mayor que yo, pero es bueno, digo… Ma… me entiendes… No tenemos un trato como el de nuestros padres, es un poco socarrón cuando mucho, me suelta pullitas cuando ignoro algo… Pero qué diferencia con el trato que vi en nuestra casa… Y, claro, ya es mayor… —se sonroja y permanece en silencio, da una fumada, se sonroja aún más—. A veces me obliga a hacer cosas que… luego… me dejan con un sentimiento de suciedad…

—Como qué, Olga… soy tu hermana…

—No. Ya te contaré cuando te cases… Sólo te digo que me doy asco, me siento sucia, me lavo la boca con fuerza… A veces me sangro…

—Hum… Sí, no tendrás que esperar a que me case: te entiendo.

—Pero, Ma, Otilio y yo estamos en México, hablamos el mismo idioma, es un hombre que me da cuanto le pido, nada me falta… Mira qué ropa traigo y estas perlas con su broche de amatistas, no son menos de dos metros… ¿Y ya les viste el tono gris oscuro? Mira, míralas a la luz… qué tornasol… Y mira —dice sacándose un anillo—, mira, Ma, qué belleza de diamante solitario… cinco kilates, montado en oro blanco… Me lo compró en París, en una plaza que tiene una gran columna al centro y toda la columna lleva labradas las hazañas de no sé quién, tú.

Matilde toma el diamante con cautela y lo levanta para verlo a contraluz. Se lo regresa a Olga y dice:

—Salvo amor…

—Sí, salvo amor, que no le tengo, pero sí cariño y, sobre todo, respeto: es un hombre inteligente y con un proyecto de vida, que me trata bien, no puedo quejarme… ¿Su edad? Mira, Ma, me casé sabiendo la edad de Otilio, salí corriendo, como saldrás corriendo tú muy pronto, hasta con ese novio chaparrito, tu vecino ése que toca tan bien el piano… ¿Qué haría yo en Alemania con Hans? ¿Te imaginas? También me puso, luego del que me regaló, un disco con música de Bach, unas como flautitas, pero a mí ese Bach me da dolor de cabeza, oyes. Y dicen que habrá guerra en Europa… Hans se pone serio cuando surge el tema… Ya era un hombre joven cuando terminó la guerra, la Gran Guerra, ya sabes, poco antes de que yo naciera… Me lleva buenos veinte años…

—Pero no cuarenta, Olga…

—Eso: pero no cuarenta… ¡Diantre! De todas formas… aun sin guerra, no me veo viviendo en Alemania. Dice que piensa emigrar a Estados Unidos si en Europa las cosas se agravan, tiene familia en Chicago… ¡Hazme favor! ¿Qué hago yo en Chicago, tú?, entre tanta balacera y sola, sin hablar inglés… Me dice que lo aprenderé en un año, pero nunca será igual a como estoy hablando contigo… ahí me tendrás, buscando las palabras… No… —dijo casi inaudible, para sí, dando una larga fumada y soltando despacio el humo—. Dentro de un mes regresa Otilio y habré olvidado ese viaje…

—Estoy segura de que no lo olvidarás.

—Sí, lo olvidaré. Claro está que los recuerdos no se borran así nomás… Pero olvidaré lo principal…

—Que es…

—Que habrá sido la duda… Porque dudar, pensar, darle vueltas… Sí, para qué te lo niego… Aún guardo sus datos para escribirle. «Bastará con que me digas "ven por mí", Olga, e iré por ti hasta donde sea»… Y me enseñó una frase en alemán… Ahora verás… ¿cómo iba?... *Ich liebe dich*… Creo que así era…

—¿Y qué significa?

—«Te amo»… —y se le quebró la voz.

9

Asedios

EN LA OFICINA del general Zubieta, su nuevo empleo, Matilde pronto destacó por su rapidez en la mecanografía y su limpia toma de dictados en taquigrafía. Abismada en su veloz trabajo, ignoraba la puerta entreabierta por donde su cuñado disfrutaba largas horas de contemplación, siguiendo con pasmo la delicada línea de la nariz, los ojos muy sombreados bajo el arco de las cejas, el hermoso óvalo del rostro. A diferencia de Olga que, habiendo padecido idéntica pobreza, tenía gusto y había llevado la ropa barata como si fuera de gran marca, así como en su nueva condición modelaba la buena ropa como si fuera la que había vestido toda su vida, Matilde iba siempre mal vestida. Entregaba todo su salario a su madre y ésta le compraba los vestidos más ordinarios y carentes de atractivo. Y de entre aquel desastre de telas mal compuestas, surgía esa cabeza de museo.

—¿Ya sabe, Ma, que absorta en su trabajo es usted una diosa serena?

—No diga esas cosas, general.

—Sólo describo lo que veo.

—Pues ve cosas que no hay, soy una mujer común. Hasta bajita, inclusive.

—Si algo no es usted, es común, Ma.

Matilde se compraba planillas para pagar el tranvía y de todo lo demás se encargaba su madre, Isabel. De su casa a la Secretaría de Bienes Nacionales, de la Secretaría a su casa. Con una breve escala para visitar a su padre, en la portería de la Cámara de Diputados, tan breve que Isabel no advirtiera el retardo. Esa era su rutina diaria. Unas tres veces por semana pasaba por casa de Olga, tomaban un café, entretenía un rato a Francisco mientras Olga le preparaba la papilla y con ayuda de la nana le daba un baño y ponía pañales limpios, uno de gasa y otro de franela. Sergio se paraba de puntitas para ver cómo envolvían a su hermano menor. Matilde jugaba con él para disminuir los celos fraternos. Luego se despedía de su hermana con temor de llegar a la casa que ocupaban ella y su madre, en la colonia de los Doctores, con un cosquilleo poniéndole alas al estómago y un vacío en las venas, donde la sangre parecía contenida, seca y a la espera. Si el tono de Isabel era afable, la sangre reiniciaba su alegre retozo y ponía buen color al rostro; cuando no le respondía al saludo o detectaba el timbre acerado que era el aviso de la crisis, se volvía pequeña como una rata; enfundada en su vestido gris lleno de botoncitos, dejaba su sombrero de amplia ala y los guantes con orilla de encaje sobre una silla desvencijada, y desaparecía en el aire, convertida en partícula de polvo.

—Fuiste a ver a Eugenio, Matilde. Si apenas hace tres días estuviste con él. Qué te da tu padre que no te dé yo —musitó entre dientes Isabel, atareada en poner nuevos carbones en el brasero de la cocina y avivar el fuego con el soplador por un hueco inferior—. Su música de ópera. Si yo hubiera podido conservar mi piano... pero ni eso pudo darme Eugenio... estarías conmigo, escuchándome tocar, y no a esas viejas que pegan gritos en el radio destartalado de tu padre.

Pensó mentir, que había ido a casa de Olga, como en efecto hacía con frecuencia para conversar con su hermana y ver a su sobrino Francisco, de pocos meses. «Creo que lo "encargué" en París, como debe ser con todo niño», había dicho sonriente Olga a su hermana. Pero Matilde no sabía mentir, Isabel la haría caer, no lograba cubrir a tiempo los huecos en un interrogatorio materno. Su madre la paralizaba.

—Hubo «apagón», mamá, lo sabes. E inclusive el tranvía se retrasó.

Por su rápido crecimiento, la ciudad padecía cortes del servicio eléctrico años antes de que México declarase la guerra al «eje», las potencias fascistas, y debiera programar esas tinieblas para adiestrar a su población civil en la eventualidad, si bien remota, de bombardeos alemanes o japoneses.

—Qué raro, aquí no se fue la luz.

—No ha dejado de lloviznar desde el aguacero que cayó al mediodía y ya sabes cómo se pone todo difícil —añadió Matilde sacudiendo su impermeable de tela ahulada mientras el corazón aceleraba su trote y la piel se le iba poniendo paulatinamente fría y pálida.

—Te pregunté si viste a Eugenio y me sales con historias de «apagones» y de llovizna. Viste a Eugenio, eso es todo. ¿Lo viste? ¿Escuchaba sus arias? ¿Te puso a oírlas mientras te informaba lo que dicen? ¿Te acarició con sus manos sucias? ¿Te tocó los pechos como disimulado? —remató con voz estridente y cara descompuesta por la furia contenida.

—Pasé por la Cámara de Diputados y me detuve a saludarlo en su cuartito. Lo tiene muy arreglado. Te ensuciaste con el carbón, mamá.

Isabel había puesto con las manos el carbón. Matilde tomó las tenazas, que colgaban de un clavo, y puso delicadamente en pila algunos trozos; luego tomó el soplador para que el fuego los encendiera, pero más aún para lanzar al aire chisporroteante su terror y expresar en la agitación de sus manos el fuego oculto bajo su rostro inexpresivo y su cuerpo abandonado por las fuerzas de la vida. Tenía la garganta seca, pero no se atrevía a servirse un vaso de agua, atareada en avivar el fuego para la cena.

—Un desgraciado velador, eso es, un infeliz velador sin patas que no puede sostener a su familia. Si no tuviéramos la ayuda de mi hermano David, mi hermano que vela por nosotras, no sé... pediríamos limosna —sollozó mientras tomaba las tenazas y removía el fuego incipiente, apagándolo con ese movimiento.

—Yo trabajaría aún más y no estarías nunca en la calle, mamá.

—Ya me estás retobando. Así llegas cuando ves a tu padre. Yo no sé qué odio me tiene...

Matilde hubiera querido decir, al menos, «no te odia, mamá», pero sabía las consecuencias y guardó silencio.

—Te callas, pero sé los pensamientos que te cruzan por la cabeza contra tu madre, ¡se te ven pasar por los ojos! ¡A mí no me engañas, mosquita muerta! ¡Me chocas con esa carita mustia…!

Matilde no intentó ni cubrirse del golpe lanzado con las tenazas del carbón y un arañazo le cruzó la mejilla.

—¡Mira! ¡Mira lo que me haces hacerte! Ahora podrás salir gritando que soy un monstruo, como tu hermana, la Olga ésa que no ha vuelto en tres meses —comenzó a dar largos trancos por la habitación—. Parió y la atendí, como debe hacer una madre —dijo desde un extremo—, un día y una noche estuve a su lado; pero no tengo un nieto, ¡no veo a mi nietecito!, no lo trae nunca a visitar a su abuela —continuó en el extremo opuesto de la habitación—. Por más que le insistí en que le correspondía llevar el nombre de mi hermano, le puso «Francisco»; ni siquiera, vaya, «Otilio», como el marido ése que se fue a buscar, mayor que su padre y además, igual que Eugenio, masón sin temor de Dios, con sus escuadras y reglas escondidas. Nadie en mi familia se llama «Francisco». Le pudo poner «Isabel», que es mi nombre, el de su propia madre, hay hombres que así se llaman. ¡Y no me mires con esa expresión hipocritona! ¡No sabes cuánto te aborrezco cuando levantas los ojos al cielo, con las cejas afligidas como Dolorosa con pedorrera! ¿Qué tenía de malo «David Isabel»? Pero ésa nomás tiene padre y tú llevas el mismo camino.

Al día siguiente, Matilde llegó a su trabajo con el arañazo en la mejilla y expresión avergonzada porque el maquillaje no alcanzaba a cubrirlo.

—Eso es de Isabel, Ma. Ni me responda porque lo sé como si la viera. Sálgase de allí, mire, yo sigo sosteniendo a esa mujer que el diablo debería cargarse. Pero usted sálgase de ese infierno...

—No podría, general. Ya ve cómo estamos, ahora imagínese si yo tuviera que pagar otra renta y hacer otro mandado.

Otilio Zubieta la miró con afecto, una chispa le saltó entre los ojos. La voz se le había enronquecido cuando dijo:

—Tengo un departamentito en una colonia nueva, Ma... Si usted me entregara sus primicias…

—¡General...! ¡Don Otilio...!

Matilde giró sobre sus altos tacones y despojándose del sombrero tomó asiento en su escritorio con ojos llorosos. Guardó sus guantes, unos rematados de encaje, en el cajón superior, colocándolos con extremo cuidado aunque los aborrecía sin atreverse a dejar de usarlos y comprar unos como los que había tenido Olga de soltera, baratos, pero de una sencillez distinguida.

Zubieta no la llamó en toda la mañana para que tomara dictado en taquigrafía y la libretita vertical con su lápiz y sus rayas rojas terminó guardada junto a los guantes con orla de encaje. Pero llegó un hombre de espaldas cansinas, barba gris recortada con esmero, y dijo tener cita con el señor secretario de Bienes Nacionales.

Matilde no lo tenía anotado entre las citas, pero el hombre insistió con voz acostumbrada al mando. Que debía anunciarlo, pues lo estaba esperando, y presentó una tarjeta color sepia a la muchacha renuente. Que le hiciera favor de llevar esa tarjeta al general secretario.

Zubieta asintió con la cabeza al leer la tarjeta de presentación.

—Hágalo pasar, Ma. Olvidé pedirle que lo anotara. Hicimos la cita hace una semana.

Luego de media hora, Zubieta la llamó para tomar un dictado: un recibo por el que constaba la entrega de un acuerdo jurídico; en ese acuerdo se devolvía al desconocido una parte del latifundio familiar situado en los estados de Jalisco y Zacatecas. Quinientas hectáreas del total volvían a su antiguo dueño. Matilde salió a mecanografiar el recibo dictado por Zubieta y volvió en un par de minutos. El hombre firmó el recibo con trazos enormes, guardó el acuerdo en el bolsillo interior de su saco, se puso en pie e inclinó la cabeza con solemnidad excesiva, tomó el sombrero que había mantenido sobre una rodilla y al hacerlo descubrió un paquete de papel atado con un flojo cordel amarillo. Puso el paquete sobre el escritorio y lo empujó levemente hacia Zubieta, apenas lo suficiente para dar a entender que no lo estaba olvidando por descuido; un breve «gracias, señor secretario» confirmó el regalo. Zubieta miró a Matilde y ambos se pusieron de pie para despedir al personaje radiante de gozo que salió con la espalda menos abrumada. Matilde esperó órdenes en lo que Zubieta desató el lazo: los billetes de a cien pesos se alzaban con el alto de dos ladrillos. Miró a Matilde con fingido aire contrito:

—Usted vio, Ma, yo no pedí nada, aquí dejó don Ambrosio este paquete envuelto en periódico. Deposítelo a mi cuenta. Verá: tuvo su familia diez mil hectáreas, que son demasiadas hasta en esos rumbos. Merece las quinientas que le regresamos, son las mejores, y tampoco se trata de que la Revolución haga nuevos miserables con quienes saben trabajar su tierra... Y tome de allí quince mil pesos... para que le compre una casa a su madre... Ya luego me paga... cuando usted sea mía...

Matilde no volvió. Su tío David Salinas le consiguió un empleo similar en una oficina de Hacienda. Pero debió explicar el motivo a Isabel y ésta no tardó en hacérselo saber a Olga.

—Ya me dijo algo así Otilio, mamá... Dice que Matilde no sabe aguantar bromas...

—¿Y tú le crees a ese monstruo? ¡Virgen santísima! ¡No puedes creerle a Otilio que sea broma! Tu padre tampoco aceptó nunca sus... sus... impudicias con mujeres... ¡Tú pudiste nacer ciega, Olga!

Y sobrevino la crisis: los llamados de auxilio a su adorado hermano, la falta que le hacía su madre, la maldad de Otilio como la de Eugenio y la de todos los hombres, caterva de Satanás... y cayó al suelo. Pero Olga era otra... se puso en pie, fría, altiva.

—Levántate del suelo, mamá... Te estás revolcando. Mi hijo puede verte así. No quiero volver a ver estas escenas en mi casa... En todo caso, prefiero que no vuelvas, pero, que te quede claro: yo no dejo al padre de mi hijo.

Y salió dando un portazo. Viéndose sola, Isabel se recompuso enseguida, sacudió su falda y bajó las escaleras con paso lento, esperando que Olga apareciera en lo alto y le pidiera perdón entre lágrimas de arrepentimiento. «Sí, la perdonaré, claro que la perdonaré, es mi hija y soy su madre», se dijo. Pero Olga nunca apareció. La oyó pedir ayuda a la nana para bañar a Francisco.

LUEGO DE CAMBIAR de empleo, Matilde también cesó de visitar a su hermana. Con extrañeza, preguntó Olga la razón a Isabel, que la había perdonado y volvía para ver a su nieto.

—No viene porque tu marido sigue tras de ella... La persigue en torno de esta mesa, mira... De aquí para allá y de allá para acá —y trazó con la nariz afilada un círculo en un sentido y otro al contrario.

Olga no respondió. En cuanto su madre hubo salido, llamó al chofer y le pidió que la llevara a la casa de Cuernavaca.

—Me llevo a los niños y a su nana. Le dices al general que... que... no se preocupe, vuelvo en dos días. Quiero aire de pinos. A Sergio le hace bien jugar en el bosque y Francisco deja de toser.

De las tierras no recuperadas por aquel don Ambrosio se crearon algunos ejidos. Lo demás, una buena parte, nadie supo cómo quedó en manos del general Zubieta. No eran tierras muy fértiles ni el clima era siempre propicio, pero en la fría región de Los Altos de Jalisco la gente saca provecho de tierras pobres, coloradas, y lluvia escasa. También la ayuda del gobierno es poca, quizá porque son campesinos que no se han acostumbrado a pedirla. Y con todo, producen mucho más que en los fértiles y lluviosos estados del sur.

Un sobrino del general, Rubén Zubieta, joven y muy guapo, de hombros anchos, pelo rizado y pestañas abundantes enmarcando los ojos claros, era el administrador de la enorme propiedad, dividida en dos para no infringir las nuevas leyes agrarias contra latifundios, y con una de las fracciones, la mayor, simulada en los títulos de propiedad como tierra no apta para labranza y destinada al pastoreo. Por supuesto era apta y no tenía menos de siglo y medio abierta a diferentes cultivos. Rubén no dejó metro cuadrado sin sembrar, cultivos tradicionales y nuevos, pero vivía solo y comenzaba a visitar con demasiada frecuencia las cantinas de Tepatitlán.

—Mire, Güera, quisiera pedirle un gran favor —dijo Zubieta tomando la mano de Olga.

—Usted dirá, don Otilio.

—Ahora que Francisco va a cumplir los dos años, yo quisiera que usted se lo llevara a Tepa. Ya sabe: el aire, el sol y el campo hacen una infancia feliz, que crezca en las tierras que serán de él... conociendo cada detalle, que se raspe las rodillas al tropezar y sepa dónde está la piedra que lo hizo caer. ¿No cree, Güera?

—¿Y se quedaría usted solo, don Otilio?

—Poco tiempo. Quisiera irme a Guadalajara cuando entre el nuevo gobernador. Aquí… esta ciudad se está poniendo imposible, con su cielo gris, siempre encapotado. Este clima de todos los diablos que va del frío en la mañana, al calorón del mediodía, al frío otra vez por la noche. Los políticos la soportamos por estar cerca del presidente, pero ¿eso es bueno para un niño? —preguntó como simple retórica y sin esperar respuesta continuó—: Lléveselo, Güera, lléveselo a Tepa. Y así usted me controla a ese Rubén, que está allá solo y ya sabe lo que dice el dicho: «En el arca abierta, el justo peca». Váyase a controlar el arca, que es la suya y la de su hijo... —dudó un momento antes de preguntar—: ¿Cuándo cumple años Francisco?

—En dos meses, don Otilio.

—Pues arregle todo para que en dos meses esté viviendo en Tepa.

—Estaríamos mejor en Arandas, donde viví de niña, entre una temporada y otra en Saltillo, ya ve que mi papá iba y venía por el país con mi madre detrás...

—Arandas queda más lejos de las tierras. Le haré una buena casa, ya váyase, ande.

EN CUANTO se vio sin su hermana, Matilde apresuró su matrimonio: poco tiempo atrás había conocido en Mina de Plata a Esaú Sánchez. Mina había sido una de las muchas estaciones en la agitada vida de Eugenio Monteros antes de perder las piernas; allí tenía, además, familia de raíces viejas, una hermana y sobrinas. Matilde acostumbraba ir una vez por año a Mina para hacer vida de pueblo con sus tres primas, María, Raquel y Ester, dar vueltas con ellas a la plaza con su piso de mosaico amarillo y sombreada por enormes fresnos, sentarse en una banca de azulejos a escuchar los piropos de los muchachos a «la de sombrero venida de la capital», pedir un raspado que dejara la lengua roja de anilina, comer peras y duraznos en las huertas, nadar en las pilas de riego llenas de agua helada y verdosa, aprender de sus primas a pintar de «congo rojo» los pisos de loseta mientras cantaban juntas y afinadas «Altiva y orgullosa pasaste junto a mí y yo como un capricho... te seguí», dar algún paseo mañanero a Arandas y volver al anochecer, ir las cuatro a bailes de vestido largo en el casino y hacer como si no vieran a los muchachos de traje azul oscuro que les lanzaban sonrisas tímidas y solicitantes, reír por lo bajo y clavar la mirada en el mantel cuando se prevenían: allí viene uno... allí viene. Y uno de aquellos atrevidos que habían cruzado el salón para tender la mano a Matilde y pedirle una pieza, había sido Esaú Sánchez, alto y de grandes manos pesadas con el dorso cubierto de vello. Matilde se levantó a bailar, confiada en el hermoso vestido largo, amarillo mostaza con lentejuelas en el talle, que había sido de Olga, como muchos otros de calle y de fiesta.

Matilde no perdía la terapéutica creencia de que podía curar a su madre, quizá instalándola en Saltillo, se dijo con espíritu hipocrático, pues allí la recordaba tranquila y apacible, cariñosa, dándoles hermosas veladas de piano y lectura a las que no faltaba Tono Gallardo. Si Isabel se enfermaba de sólo ver a Eugenio, la solución era llevarla lejos de él, al norte, así se lo dijo a su tío David que, luego de pasear un poco por su biblioteca atusándose el bigote, autorizó la propuesta de su sobrina. Así que Matilde pidió a la Secretaría de Hacienda su traslado. Se lo condicionaron a que un empleado de Saltillo tomara el puesto vacante en México. Pasaron los meses, el poco dinero ahorrado se les acabó y el carácter de Isabel fue empeorando conforme la estrechez económica era mayor, y no hubo el sustituto para el empleo. Matilde no había considerado un hecho: Tono Gallardo seguía en la ciudad de México. Había conseguido con dificultad, años atrás, su cambio en Ferrocarriles y no hizo intento alguno por solicitar su regreso a Saltillo. Quizá porque nunca creyó que sus amigas durasen allá más de unos pocos meses. Matilde escribió en secreto a su tío paterno, Ignacio, para que un telegrama de Hacienda con amenaza de despido le exigiera el regreso inmediato a su empleo. Volvieron a México y Tono les encontró un departamento agradable en Santa María la Ribera. El carácter de Isabel se dulcificó.

Matilde perdió de cualquier manera su empleo en Hacienda, y su tío David le consiguió casi de inmediato algo similar en el Departamento Central: el gobierno de la ciudad de México, en la secretaría particular del regente, Javier Rojo Gómez. Le gustaba mucho su trabajo porque tenía una oficina muy elegante, con piso de madera, escritorios de acero, máquinas de escribir nuevecitas y, por si fuera poco, su escritorio miraba hacia el Zócalo y tenía enfrente la Catedral. No duraría. Faltó en una ocasión la secretaria de Rojo Gómez, encargada de acudir cuando sonara el timbre de la Regencia, y el secretario particular, un licenciado Leopoldo Hernández, envió en sustitución a Matilde, que llegó con su libreta y lápiz de dictado en taquigrafía, dispuesta a atender la llamada.

—Nomás me vio el santo hombre —relata a Olga ante una taza de café, sentadas en los sillones de mimbre bajo los naranjos, y en ausencia del general Zubieta— y me preguntó que quién era yo. Le di mi nombre y le dije que yo me encargaría de tomar el dictado para el que había llamado a su secretaria. No sabes, hermanita, ay Dios, es un hombre viejo, chaparro y feo que me empezó a echar flores. Yo sonreí y dije: «Dícteme, licenciado». Pero nada, Olguita, él seguía llenándome de halagos y, mira, que comenzamos a caminar alrededor de la mesa de juntas, él diciéndome de todo y yo con mi «dícteme, licenciado», a la vuelta y vuelta. Total, para no hacerte el cuento largo, la pobre secretaria inclusive se quedó sin chamba porque para todo el viejo chaparro ya nomás me llamaba a mí. Así que hablé con su secretaria y la puse al tanto. «No te preocupes: cada que te llame iré yo a tomar su dictado y si me pregunta por ti diré que no estás... que fuiste a... no sé, ya urdiré algo nuevo cada vez». Ay, Olguita, cómo se lo agradecí.

—Pues lamento decirte que ese empleo que tanto te gusta, con la magnífica vista de la Catedral y demás, lo vas a perder, hermanita. Te voy a servir otro poco de café, mira que nos quedó bueno, tú.

—Vaya que eres inocente, Olga, ¿lo voy a perder? ¡Pero si ya lo perdí y es lo que te vine a contar!

—Anda, pues, Ma. ¿Y cómo fue eso? Y sí conozco a ese chaparro inmundo y botijón. Una o dos veces ha estado en cenas con Otilio y babea cuando me mira, hasta vergüenza me da. Y la mano, Tití, la mano también la babea al besártela... Uagh, qué asco.

—Pues ni siquiera perdí el trabajo por él, sino por el sobrino de mi jefe directo, del licenciado Hernández. Anda que va hace un par de días y, al pedirme su sombrero, se me echó encima, un terco que ya llevaba tiempo dando lata. Me plantó un beso y yo le puse un bofetón, cogí mi bolsa, mis guantes, mi sombrero y me fui a mi casa con un humor tan de mil demonios que excuso decirte que ni mamá se atrevió a preguntarme. Ya después le conté. ¿Pues qué se creen? No vuelvo a poner pie en ese lugar. Y mira, tanto que me gustaba mi trabajo.

Así que, sin Olga y sin empleo, Matilde toma el tren y se presenta en Mina de Plata con la peregrina idea de reconciliar a sus padres, para lo que, primero, debía encontrar en el pueblo alojamiento para Eugenio, y ya instalado llevar a Isabel. Que en el pueblo, la paz, la sombra de los viejos fresnos en la plaza y la música que tocaba en el kiosco los domingos harían el milagro. Puso un telegrama avisando de su llegada y en la estación encontró a sus tíos paternos esperándola.

Luego de brincotear de alegría con sus tres primas, en cuanto sale a la calle con ellas, por la mañana al mercado, por la tarde a la plaza, Matilde busca con la mirada la figura alta de Esaú Sánchez y su sombrero de fieltro gris. No lo ve. «Y de mi Esaú, anda vete», comentaría a las primas. Raquel, la mayor, era también la más seria y la única que asistía al rosario por las tardes; Ester le seguía en edad y caminaba con más salero que ninguna, raspando los altos tacones en el empedrado de las calles; María, la menor, era una adolescente cantarina con memoria prodigiosa para las letras de todas las canciones. Juntas y riendo de cualquier tontería buscaban casa de alquiler barato. Que su padre ya no tolera la vida en la ciudad, dice Matilde a sus primas al dar la vuelta en torno al kiosco, subir tranvías sin sus piernas, sentirse mirado, a veces ayudado ya no es para él, y en Mina, donde pasó buenos años de su juventud, dejó amigos, recuerdos, su hermana, sobrinas, allí le gustaría morir. Raquel responde con una mirada cálida y comprensiva, Ester muestra una lagrimilla cuando recuerda a su tío sin piernas, y la pequeña María sugiere que ocupen una banca ahora que todavía algunas están disponibles y descansen de tanto dar vueltas o vayan a comprar raspados. Se deciden por el descanso bajo los grandes fresnos para ver pasar a los muchachos. En lo alto de la presidencia municipal, el reloj da las seis; en la torre de la iglesia las campanas tañen con lentitud; la música recomienza luego de un intermedio.

Mientras Matilde le busca alojamiento en el pueblo, Eugenio reúne todos los mapas levantados a ojo de pájaro desde avionetas temblorosas, los detalles medidos a pie y con teodolito entre el vaho y los zumbidos punzantes de la selva, sus proyectos en papel manila, sus cálculos de metros cúbicos de caoba y cedro rojo, sus muelles de chicozapote resistente al agua de mar, las vías férreas necesarias para sacar de Payo Obispo esa enorme opulencia y, con todo eso en un gran cartapacio cerrado con ligas, se presenta en la oficina de Zubieta:

—Toma, Otilio: en ninguna secretaría me han querido escuchar, nadie pone atención a un hombre que parece estar siempre de rodillas, peor aún, sentado en el suelo y al que deben mirar hacia abajo; toma, espero que estudies este don que nos ha hecho la naturaleza y que entusiasmes al gobierno con la idea de explotarlo: allí está, entre mares sin puertos y planicies sin caminos ni habitantes; yo no puedo más; lo que te traigo aquí, atado entre estos cartones viejos, ya me costó mis piernas, mi matrimonio, mis hijas: toma, se lo regalo a México.

—Sabes bien, Eugenio, que este gobierno está en sus últimos meses. Sin embargo, te prometo presentar tus estudios a quienes entren con el nuevo.

Zubieta tenía en mente algo más atractivo que revisar los proyectos de Eugenio, pero el gobierno del general Ávila Camacho no le ofreció ningún puesto que no resultara un descenso en su carrera política. Al parecer, Zubieta había perdido la confianza del presidente Cárdenas y no estaba entre los recomendados para el nuevo gabinete. Los motivos nadie los sabía, pero Cárdenas era aquel que había recibido un millón de pesos para sofocar una rebelión, la sofocó, y a su vuelta regresó a la Tesorería setecientos mil pesos.

10
Rubén

APENAS OLGA y el pequeño Francisco se instalaron en la hermosa casa que un año antes había mandado construir el general en Tepatitlán, a las afueras, llegó un telegrama con el aviso de que el esposo y padre no podía esperar más para verlos. A los tres días, como decía el telegrama, Zubieta llegó en un auto de la Secretaría conducido por su chofer de siempre, aún pagado por la misma Secretaría, si bien Zubieta ya no estaba al frente desde el cambio de gobierno. Fueron a ver los cultivos: además de maíz y garbanzo, Rubén había introducido avena forrajera, alfalfa, el agave no le había resultado y unos pocos mangos se quemaron con la primera helada.

—Empeñoso sí es el muchacho, pero algo tonto. Ni a usted se le hubiera ocurrido, Güera, probar con mango. Digo, no está mal que busque cultivos más productivos, pero mango en este clima... plátanos y cocoteros le faltaron porque nadie se los ofreció. Ahora que, hablando del rey de Roma, mire nomás —le señaló con la mirada a Rubén, que tenía un pie en el estribo y la pierna opuesta girando sobre el lomo del caballo—, mire qué piernas del muchacho, mire cómo se le dibuja la espalda bajo la camisa. Imagínese a usted acariciando esos brazos duros y no los de este viejo oficinista.

Olga se sonrojó violentamente, fulminó a Zubieta con los ojos color miel vueltos brasas rojas, le tembló la barbilla y, cuando parecía que iba a soltar el llanto, miró de nuevo hacia Rubén... y la expresión se le dulcificó, pero la ocultó de Zubieta echando un veloz galope de regreso a través de un campo de avena.

—¡Epa! ¡Que está sembrado! —oyó la queja de Rubén, aunque con voz suavizada por tratarse de la patrona.

Esa noche, luego de leer en la cama un informe sobre el general Marcelino García Barragán, Zubieta apagó su lámpara y se colocó sobre Olga. Con movimientos de gato sacó una mano de entre los cobertores, buscó a tientas la palmatoria y sin ruido sacó el cabo de vela, se lo puso entre los muslos y con ella penetró a Olga.

—Piense, Güera, que aquí al lado está dormido Rubén y así de tiesa la ha de tener en sueños... soñando con usted, ¿no ha visto sus miradas? Se la come. Vaya y compruébelo, luego regresa conmigo… bien cargadita…

—¿Me está probando? Pues no le daré el gusto de caer.

—Para nada, Güera… Para nada. Quiero que sepa lo que es el sexo con un hombre joven… Nomás no se le olvide quién es su marido…

Por supuesto que Olga había observado las miradas de Rubén, tímidas, huidizas, tratando inútilmente de esconder una chispa de deseo, y por lo mismo con el añadido de la ingenuidad: era un hombre bueno. Olga era de las mujeres que se pierden por el niño que hay bajo un cuello fuerte, una cabeza de nuca bien torneada, brazos y piernas duros, pero con un resquicio del que, cuando se descuidan, surge un súbito fulgor desamparado. Un hombre que la podría levantar en un brazo al pasar a caballo y seguir galopando con ella contra el pecho sin perder el ritmo, pero también podría llorarle para que no lo dejara.

La noche era fría, pero Olga no se cubrió para salir al pasillo y obedecer la orden de Zubieta. Rubén no la oyó entrar ni tirar al suelo el camisón. No despertó sino cuando la tuvo sentada encima y comprobando que, en efecto, era la dureza de la vela, pero con doble grosor. El pecho de Rubén olía a brotes nuevos de trigo, a cuero de arreos, a caballo recién galopado, y Olga se recostó en aquel valle mullido, espeso de retoños negros, suaves y ásperos al mismo tiempo, buscó el remolino con que bajaba hasta el ombligo y se dijo que había hecho bien en obedecer a su marido... que, lo sospechaba, los veía detrás de la puerta ayudándose con una mano a tener una buena erección.

Luego de un breve sueño, apenas un parpadeo, tras de la primera satisfacción plena de su vida, Olga recordó lo prometido y se apartó con la dificultad que debió tener Eva al ser echada del Paraíso. La diferencia era que Olga podía volver al paraíso, y así lo habría de hacer, noche a noche. Pero esa primera vez, se arrancó del pesado abrazo con el cargo del deber y volvió a la cama de Zubieta. Los pies helados lo delataban.

—Me gusta usted más así, Güera, a gallo pasado —y le eyaculó entre los muslos. Olga cerró los ojos. No pudo dormir en toda la noche... Un aroma la envolvía, le pasaba entre los pechos erectos, le bajaba a los muslos y regresaba, pasando bajo su espalda la levantaba en vilo, la suspendía... el aroma de Rubén.

Comenzaron a piar algunos gorriones anidados en el huerto donde había un par de aguacates, varios guayabos, un arrayán, granadas y algunas matas de membrillo, junto a una acequia crecían alcatraces. Luego Olga escuchó al jilguero y vio entre los postigos los primeros rayos de sol. Daba la espalda a su marido y desde su hombro hasta el antebrazo seguía con la nariz un rastro... Subía de nuevo hasta bordear su hombro y bajaba despacio: era el rastro de Rubén, su aroma. Lo imaginó levantándose, en su habitación al otro extremo del huerto, acercarse al tocador del aguamanil adosado a la pared, un mueble de nogal con una jofaina de cerámica blanca para lavarse, jarra similar llena de agua, espejo ovalado entre dos columnas sencillas del mismo nogal, y cubierta de mármol con jabonera, una toalla colgando a un lado... o ¿abriría las puertecitas del mueble para sacar una de las toallas limpias, cuidadosamente encimadas por la lavandera?, ¿olería a nogal cuando se inclinara? «Le pondré unos membrillos entre sus toallas o un saquito de lavanda», se dijo y casi pudo ver su espalda asoleada mientras se friccionaba con fuerza, con los músculos dorsales tensos vaciaba la jofaina en una cubeta al lado y vertía más agua limpia, se mojaba el cabello rizado y lo sacudía con la toalla. Olga quiso abrazarlo en ese momento y no pudo contener unas lágrimas silenciosas. Oyó rechinar la puerta de Rubén y un grito a Tomasa: «¡Tomasa, Tomasita... traeme un limón partido!» Olga creyó haber oído mal: «¿Un limón?», pero enseguida el pecho se le enterneció, una miel dulce le corrió hasta el corazón y subió hasta abrirle una sonrisa de dicha: «¡Claro!... El muchacho lo pidió partido... se lo exprime en la mano y unta el jugo en el pelo rizado para peinarse».

Una idea la tomó por asalto: «Quiero vivir con él... ¡Dios santo, cómo deseo vivir con él!» Pudo verlo calzarse las botas. Luego escuchó atentamente hasta distinguir sus pasos ir a la cocina. Tomasa, esposa del caballerango, ya había encendido lumbre y le ofreció al joven café con leche. Olga lo imaginó sentado a la mesa de tablón basto, las botas bajo la silla, las espaldas amplias sobre el tazón sin orejas, imaginó el olor de sus bigotes mojados de café con leche. Quiso levantarse, caminar de puntitas y abrazarlo por las espalda, meter su cabeza bajo la nuca de Rubén... que, ya lo sabía, olería a limón fresco. Supo que era imposible y aguzó más el oído: quería oírlo sopear un medio pan en el café, sería una campechana, la más doradita que viera, le gustaban las campechanas para su tazón de café y quería ser ella quien se lo sirviera y quitarle alguna moronita de los bigotes con los labios. Supo que nada oiría, por más esfuerzos que hiciera, porque la cocina estaba lejos. Sintió que el pecho se le reblandecía y se inundaba de una calidez que nadie había despertado antes en ella. Primero se retiró del general, profundamente dormido. Luego no pudo más y se levantó, descolgó del perchero su bata, una de gasa blanca y lirios azules, y sin ruido caminó descalza mientras se anudaba flojamente el lazo de seda azul y se abría un poco el escote, bordeado de un amplio holán en pliegues hasta el ruedo, por donde asomaban sus pies al caminar sin ruido. Dejó ver el delicado sostén de encaje color durazno y entró a la cocina, saludando con voz alegre. Rubén hundió la cara en su tazón, musitó un casi inaudible «buenos», dio un par de sorbos y se levantó de prisa, despidiéndose de Olga sin mirarla. Desde la puerta gritó que no encontraba su sombrero.

—Está colgado allí donde siempre, joven Rubén, sobre el baúl.

—¡Pues no está, Tomasa!

—Lo habrá tirado el viento.

Agapito le tenía dispuesto el caballo, sostenía las riendas y silbaba. Pero, cuando Rubén preguntó por la cantimplora de agua, Agapito se dio un golpe en la frente y corrió por ella a la cocina, donde la había olvidado.

—¡Otra vez la burra al *maiz*! —gritó molesto Rubén, para sorpresa de Agapito, que no lo veía irritarse por descuidos nimios. En general, Rubén era un muchacho de magnífico buen humor.

Ya no lo oyeron más, así que supusieron que el sombrero había estado caído tras el baúl. Al oír el trote del caballo alejándose, Olga volvió a la cama y se acomodó en la orilla, esforzándose por no tocar ni ligeramente a su marido, que dormía con las manos sobre la barriga. Se levantó de nuevo y fue al cuarto de Rubén. La puerta estaba entreabierta. A la luz de la mañana vio la cama deshecha, la cubierta de mármol salpicada de agua, el jabón fuera de su jabonera, la toalla mojándose tirada encima de la jofaina. No se atrevió a entrar a la luz del día, pero hubiera querido acariciar la plancha de mármol salpicada, meter su mano en el agua usada por él, poner orden. Volvió a su recámara. El general seguía profundamente dormido.

Cuando se levantaron a desayunar, las ojeras del insomnio le hacían a Olga aún más bellos los ojos.

Durante el almuerzo, que tomaron solos porque Rubén estaba en el campo desde el amanecer, Zubieta estuvo muy conversador.

—Ya sabe, Güera, que el general Marcelino García Barragán fue postulado por el Partido para la gubernatura de Jalisco. El presidente Ávila Camacho estará pronto en Guadalajara. Quiere ver cómo andan los tapatíos en eso de hacer la guerra contra los alemanes y constatar que es falso lo de las simpatías populares por el régimen nazi. Y claro, se lo digo aquí entre nos, Güera, el presidente quiere asegurarse de que el Partido gane en estas tierras tan alebrestadas y cristeras. Habrá elecciones a principios de diciembre. Con el general de gobernador, yo seré su segundo. Y para la próxima... el Partido me podría lanzar.

Pero el gobernador García Barragán no llamó a Otilio Zubieta.

CON LA VOZ más distraída que pudo fingir, Olga le pidió a Tomasa hacer un par de lonches para llevarlos al campo.

—¿De qué se los hago, mi niña?

—¿De qué le gustan al joven Rubén?

Apenas lo dijo y vio su error, pero sería peor tratar de remediarlo. Puso expresión indiferente. Ni siquiera oyó la respuesta: la cocinera había dicho: «De pierna, pero no tenemos».

—Entonces qué ordena usted, niña.

—Pues eso está bien…

—Pero le digo que no tenemos…

Olga jugueteó con una granada del frutero sobre el trinchador, se vio al espejo ovalado del remate para darse tiempo… «¿Qué será lo que no tenemos?»

—¿No tenemos pollo?

—Pollo sí que hay… y también le gusta al joven, aunque no tanto.

—Pues de pollo, Tomasa, y me pones fruta en una canasta. Y dile a Agapito que me ensille a Palomo.

Dejó la granada fuera de lugar y salió de la cocina porque la conversación la había alterado.

Ató la cesta con los tientos sobre una cantina y con su falda amplia por encima del pantalón, para no sentir las miradas de los peones dirigidas a la entrepierna, montó primero de ladito, como las damas en la escaramuza, aunque no en albardón, sí con la pierna derecha doblada sobre la cabeza de la silla, y al paso. En cuanto salió del pueblo, montó el caballo a horcajadas, metió sus botas en los estribos y arreó al Palomo, un hermoso tordillo que partió al trote ligero.

En las tierras por barbechar para las ya próximas lluvias, no estaba Rubén. El yuntero se hallaba a la sombra de un pirul.

—Estás muy quitado de la pena, Liberato, seguro la yunta caminará sola.

Él le sonrió e hizo un saludo militar, sosteniéndole con descaro la mirada a la patrona. Era un hombre de unos cuarenta años al que se le conocían dos mujeres y diez hijos. Pelirrojo, lo llamaban *el Cerillo*.

—Ah, qué Cerillo este… —dijo Olga en respuesta al saludo militar y se dirigió hacia la presa, en terreno más bajo. Rubén completamente desnudo cepillaba su caballo, metidos ambos en el agua. Lo admiró sin acercarse: los hombros brillantes, el torso moreno. El agua turbia de la presa le llegaba hasta las nalgas, blancas hasta la cintura. Olga sintió que se mojaba, se levantó la falda y miró el pantalón. No estaba húmedo por fuera, pero sentía claramente que había lubricado, su cuerpo se preparaba… se adelantaba… La vista se le puso tan turbia como el agua de la presa. Hizo un esfuerzo para recobrarse, miró a los lados y no vio a nadie. Gritó:

—Te traje lonches… voy al jacal… —y partió al galope sin esperar respuesta del muchacho que había creído estar solo.

Lo vio llegar, iba despacio, se bajó del caballo, lo ató a un viejo guamúchil y se echó hacia atrás el sombrero. Olga lo veía desde el interior, sonrió al notar sus dudas, cómo trataba de escudriñar el interior de la casa, pero los vidrios de las ventanas no se lo permitían con sus reflejos, se quitó el sombrero y lo arrugó entre las manos, se miró la punta de las botas y se detuvo, parecía con ánimo de regresar hacia su caballo. Olga salió al portal para dejarse ver. Rubén sonrió con timidez y avanzó, subió los tres escalones de la entrada.

—Hola, tía...

—Me vuelves a decir «tía» y te pongo unos fuetazos en esas nalgas tan bonitas que vi...

—Pues... eres mi tía...

—Desde anoche ya no lo soy.

—Eso mejor no lo mencionamos... Hagamos de cuenta que no pasó... —dijo súbitamente serio.

—Es que sí pasó, Rubén.

—No se vaya a enterar mi tío...

—Tu tío me envió... Me pidió que fuera contigo... y... no sé si hago bien en decírtelo, pero, bueno: nos estuvo viendo... helándose en el pasillo.

Rubén abrió los ojos, las pestañas le rozaron las cejas, carraspeó...

—Ah, qué diantre contigo. Pero si no te creo... Mejor, mira... —giró con ánimo de regresar.

—Tu tío me pidió que fuera contigo, Rubén —insistió Olga para detenerlo—. Mira, ya se siente grande y quiso que yo probara con un hombre joven... Así de claro me lo dijo... Supongo que llevaba tiempo planeándolo... Lo supongo porque, verás —Olga se volvió y fue a sentarse en uno de los equipales, le indicó otro a Rubén para que la siguiera—: todo lo dispuso como piezas sueltas que anoche simplemente hizo embonar...

Rubén se sonrojó violentamente, desvió la mirada, luego se sonrió con malicia:

—Así que anoche hizo que las piezas embonaran...

—Pues sí... y muy bien...

Rubén volvió a sonrojarse, pero en esta ocasión no desvió la mirada, se la sostuvo a Olga, que no perdía un movimiento del muchacho. Le puso la mano en la nuca: sí, podía sentirse el limón empleado como fijador.

—Te pones limón —afirmó.

—Hum... Sí, es para aplacarme los *chinos.*

—Tienes muy bonito color de pelo... parece de pronto negro, pero es un castaño muy oscuro.

—Lo que dijiste... de los lonches... ¿Fue puro pretexto? —dijo intimidado por los elogios.

—Claro que no, están en la cocina, ven... —y lo tomó de la mano cariñosamente mientras él seguía apretando el ala de su sombrero.

Cuando estuvieron dentro, Olga salió de nuevo al portal, miró hacia todos lados: sólo se oían chicharras en el calor reverberante. Entró presurosa y condujo a Rubén de la mano hasta hacerlo sentarse en el borde de la cama, luego se hincó en el suelo y comenzó a sacarle las botas, llenas de barro colorado. Un calcetín mostraba un agujero en el talón y Rubén pareció avergonzarse otra vez.

—Deja, Olguita, yo me los quito...

—Lo quiero hacer yo.

—Es que... es que hoy no me los cambié y no quiero que los... que los...

Olga, por toda respuesta, sacó de un tirón los dos calcetines y se abrazó a los pies fuertes, grandes, anchos, de uñas muy cuadradas y tendones marcados bajo la piel sin asolear. Un vello suave los recorría por el empeine y terminaba en unos cuantos pelitos sobre los dedos, castaño casi negro, salvo algunos rubiecitos, los más finos.

—Todos tus olores me gustan —dijo en un susurro, con

la voz enronquecida por el deseo—. Todos, Rubén... —y se enderezó para alcanzar la hebilla del cinturón piteado. No encontraba la manera de desabrocharlo.

—Es aquí, mira: los fajos *pitiaos* tienen un gancho que entra en los ojillos... ¿Ves? Es fácil —y a su vez le desabotonó la blusa blanca. No llevaba sostén.

—Es fácil desvestir a un hombre como tú...

—Y tú ya venías bien preparada, ¿eh? —y le sopesó ambos pechos con las palmas de sus manos. Sonrieron los dos, mirándose a los ojos, entrando por las pupilas del otro hasta encontrarle el final a un laberinto: en él se abría una pradera soleada, en Olga vio Rubén una sombra humana con cabeza de toro que parecía subir hacia las pupilas aferrada a un lazo rojo, sintió temor, parpadeó, y la imagen imponente soltó la cuerda roja y cayó, cayó sin alcanzar fondo dentro de los ojos de Olga. La abrazó con fuerza y volvió a mirarla directamente a los ojos: vio un lago.

Olga se montó sobre Rubén para alcanzar sus labios y lo besó por primera vez: por la noche no lo había hecho, había sido sexo puramente genital; pero al besarlo y sentir sus bigotes rozándole la nariz, al buscarle el cuello y sentir su barba rasposa como papel de lija, no solamente volvió a mojarse, sino que se reblandeció algo en su interior y quiso estar así, piel con piel, por siempre, pues no se cansaría nunca de aquel pecho fuerte y aquel aroma a musgo, a tierra colorada, a cuero bien curtido, a leña de mezquite. Ése fue su error.

Lo sintió entrar en ella apartándole los muslos, unas manos gruesas le separaron las rodillas, levantándoselas hasta acercarlas a los hombros de la mujer que lo miraba y dejaba hacer, y así penetró más adentro y comenzó a deslizarse entre contracciones de las que brotaba más humedad, los testículos le golpeteaban a Olga contra el ano una y otra vez, y una centella le bajó de la columna y le puso un grito ahogado en la garganta, hundió las uñas en la espalda de Rubén y quedó tensa, con la espalda arqueada por unos segundos que fluyeron con pasmosa lentitud. Luego recibió una nueva calidez, la que venía de él, de su eyaculación restallando con fuerza, un chapoteo caliente, los últimos enviones botaron parte del semen hacia fuera y todo el peso de Rubén le cayó encima.

Comieron lonches fríos, bebieron cerveza tibia que Olga sacó de una cesta bien aprovisionada, sandía de finales de la temporada, queso y ate de membrillo. Desde la ventana podía verse una enorme bandada de tordos ejecutando figuras de olas que iban, regresaban, los primeros se volvían y cruzaban entre los rezagados, una danza acuática en el cielo. Pronto comenzaría a atardecer, les dijo la nube de pájaros. Se dispusieron a salir por separado. Un botón de su blusa, una perlita perforada, estaba a punto de caer y Olga rompió el hilo colgante.

—De veras, ¿mi tío sabe?

—La próxima noche que me pida ir a buscarte, pon atención a la puerta y verás su sombra: se excita mirándonos.

—Y luego… ¿le cumples?

Olga no respondió, hizo que buscaba su sombrero con afán exagerado. Rubén entendió y una seria expresión, una sombra en forma de ala de golondrina, descendió en sus ojos. Era su primera muestra de celos, pensó Olga, y la hizo envanecerse.

Le acarició el cabello rizado, miró por la ventana los tordos levantar el vuelo y cruzarse con otra parvada, pasó el dorso de la mano sobre la barba ya algo picosa:

—Hace mucho que no era tan feliz, Rubén… Quisiera

eternizar este momento, estar los dos juntos... como los rancheros del almiar —dijo con una risa queda y traviesa.

—A ver, cuente, cuente... —y a su vez le siguió el óvalo del rostro hasta detenerse en la barbilla.

—Pues un ranchero muy enamorado se dio prisa a levantar el rastrojo tirado y hacer un almiar alto, pero como ya le andaba por ver a su ranchera en un pueblo vecino, lo dejó mal armado. Se pasó el día y la noche muy contento con su ranchera, pero al mediodía que se suelta un ventarrón, un aguacero con remolinos. «Uf, mi amor», dijo el ranchero, «voy a tener que volver porque estos aires de seguro ya me tumbaron el rastrojo, vuelvo a la noche.» Cuando llegó, anda tú que el almiar estaba todo esparcido por el suelo, así que se fue al telégrafo y le puso telegrama a su ranchera: «Cayóseme almiar, vuelvo mañana tarde». A lo que la ranchera repuso con otro telegrama: «Si se te cayó al mear, ya ni vuelvas...»

Olga soltó una risita contenida en la palma de la mano, lo mismo hizo Rubén, mirándola por entre las pestañas y con un «ay, Olguita...» Ambos estaban sonrojados.

—No te conocía estos dones... —y volvieron a reír.

—Pues me lo contó, para que veas, tu mero tío, si bien que puede tener sus ratos de humor —y una nube le cruzó los ojos.

Por la noche, temprano, luego de la merienda sin el general, que había salido a Guadalajara, Olga cruzó el corredor con macetas, el jazmín perfumaba la oscuridad trepando hasta el alero que circundaba el jardín por sus tres lados construidos, el cuarto lado era la verja del huerto; las flores blancas del jazmín, estrellas diminutas, se extendían por el alero y caían en ramos que ya era necesario recortar un poco, se dijo Olga. «Mañana daré la orden... También lo podría hacer Rubén si tuviera más iniciativa.» Tocó a la puerta del cuarto de Rubén, sobre los vidrios, mientras se decía que era una lástima tener los postigos ya cerrados y las cortinas corridas en una noche tan bella. Lo oyó decir «adelante», pero no entró. Escuchó sus pasos aproximándose a la puerta mientras una sonrisa dulce le florecía en los labios al imaginarlo descalzo: las pisadas eran de pies descalzos.

—Te van a ver... —murmuró con voz casi inaudible.

—Me estaba cosiendo un botón que se me cayó de la blusa —dijo Olga con voz normal, hasta quizá algo más fuerte de lo necesario, la voz que indica que nada hay por ocultar— y pensé que... no sé... quizá tengas calcetines que me des a repasar ahora que estoy en el costurero... —así llamaba a un cuarto pequeño, con vista al jardín, donde tenía una maquina de coser manual, que nunca usaba, un gran cesto con agujas de diversos tamaños e hilos de todos colores y otro con muchos recortes de telas y sobrantes de listón.

Rubén la miró sin comprender, luego se sonrojó intensamente al recordar por qué sabía Olga el estado de sus calcetines.

—Déjame ver —entró y se dirigió a un gran ropero de nogal con al menos medio siglo de servicio. Abrió un cajón y miró hacia donde Olga permanecía con falso aire inocente. Le sonrió con picardía. Ella no respondió. Tomó dos pares y se los llevó.

—No, Rubén, dámelos todos, así los reviso uno por uno.

Volvió a su ropero y sacó un puño sin orden y sin emparejar.

—Otros... están sucios... como los del ranchero del almiar —añadió con tono socarrón y mirada tímida.

—Luego me los das.

Se retiró a través del huerto sin volverse a mirar a Rubén,

que seguía en el umbral mirándola con veneración. Entró a su costurero, puso los calcetines sobre una mesita de trabajo y abrió el cesto forrado de raso donde guardaba lo necesario. Sacó un huevo de madera y lo metió en el primer calcetín roto, los deslizó hasta el talón y con ese apoyo comenzó el remiendo luego de comparar hilos de distintos colores y elegir el más parecido.

El general volvió ya tarde y pidió de cenar a Tomasa. Cuando buscó a Olga, después de la cena, para ir a dormir, la vio absorta en su tarea, a la luz de una lámpara con reflector y articulada para dirigir la luz al lugar deseado. Iba a llamarla. No lo hizo: lo sedujo el perfil de tres cuartos, la paz de ese rostro renacentista, la leve sonrisa en las comisuras de los labios, la curva de los párpados, las tenues cejas quizá demasiado pegadas al arco del ojo. Dio un paso atrás sin hacer ruido, luego otro: así estuvo ya cubierto por la oscuridad del pasillo, confundido con las sombras de plantas y macetas, libre de mirar sin ser visto. «Una fotografía», se dijo, «ahora una foto». Deseaba sentarse a seguirla admirando, pero cualquier equipal rechinaría y la burbuja de encanto iba a reventar con eso. Siguió de pie, apoyándose en una pierna y en otra porque era demasiado gordo para no caer sentado en pocos minutos. Se dijo que nunca la contemplaría tan a plena satisfacción como esa noche y sin ruido se despegó de la visión para ir a su recámara.

Cuando Olga entró, se dirigió al aguamanil y se lavó dientes y cara disponiéndose a dormir.

—¿Y qué motivo la tuvo tan absorta en su costurero?

—Se me cayó un botón de la blusa que me regalaste por Navidad, la de las perlitas.

El general abrió la boca para decir que había visto calcetines, pero se arrepintió y el movimiento fue bruscamente cancelado con un apretón vigoroso de labios. Olga percibió el intento, extrañada, pero también prefirió no preguntar: vio a tiempo que el tema era resbaladizo. Prefirió adelantar una explicación para su lejanía en la cama: «Qué calor ha hecho este abril…» Sí, pero la noche era fresca.

LLEGARON LAS LLUVIAS y Rubén debió vigilar las tierras de temporal, más altas, entre lomas y, por debajo de la presa, las de riego que urgía desyerbar y le faltaban brazos, distraídos en las tierras altas. El almuerzo lo hacía de prisa, en ocasiones a la sombra de un árbol, pero siempre con Olga. Cuando podía, se daba un tiempo para dejarla exhausta, y era siempre.

A mediados de septiembre, el aire cambió: se hizo más ligero, de luz nítida, mañanas frescas, mediodías calurosos pero sin bochorno de humedad. Se espaciaron las lluvias.

—Viene el otoño —dijo Rubén en el portal de la casa de campo, sentado en el pretil de la terraza, una pierna al aire, la otra con la rodilla doblada, Olga sobre su muslo y él acariciando con suavidad ese rostro delicado, sintiendo que esa mujer había entrado bajo su piel con sosegado pero incontenible paso—. Y sigo sin saber a dónde vamos…

—¿Tú y yo, quieres decir?

—Eso…

—Estoy casada con tu tío… Y tenemos lo que… Bueno —se corrigió—, nos tenemos el uno al otro.

—Ya no me basta… No quiero ver que te levantas de mi cama y sales de mi cuarto para irte con él… Quiero despertar contigo entre mis brazos, ¿te parece mucho?

—Ya hemos despertado así.

—Sólo cuando está de viaje…

—Sí, y últimamente parece haber perdido la esperanza de un puesto. Pero debe ir a México en un par de semanas.

—Y yo debo rogar al Cielo que no debas acompañarlo... Si te lo pide, irás. ¿Ves? Estoy a su merced, a lo que tenga a bien dejarme. Eso ya no lo soporto, Olga: te quiero cabalmente...

Olga se enderezó para verlo. La había conmovido esa expresión tan espontánea, tan de hombre recto que jura. Alcanzó sus labios y lo besó. Recostada en su pecho escuchó el latir de su corazón y tuvo miedo. Cambió de posición para no seguir oyendo el fluir de una vida que podría cesar sin más. Se le recostó en el hombro y Rubén le pasó los brazos por la cintura. No supo qué responder.

11
La que no está casada

OLGA SE PONÍA una falda sobre los pantalones de montar, un amplio sombrero de palma, y salía al campo para vigilar los trabajos de las tierras. Sentada a la sombra de una encina, hacía señas al yuntero que a cada vuelta se detenía a reposar en el extremo alejado de Olga, luego regresaba y no reposaba porque estaba frente a la patrona, pero al siguiente viaje guiando los bueyes, en el extremo alejado bebía agua, se soplaba con el sombrero, miraba hacia las lomas, hasta que Olga, a quien Rubén había enseñado a silbar fuerte metiéndose dos nudillos en la boca, le echaba un silbido y, de pie, extendía los brazos en señal de «¡Liberato! A ver cuándo...» Y el yuntero volvía a su labor.

El almuerzo lo hacía con Rubén en el jacal, como llamaban a la buena casita blanca de su primer encuentro, con portal de tres arcos al frente y dos por un lado, en el que pasaban la noche con frecuencia. Miraban atardecer sentados en los equipales del portal, cerca de allí corría una acequia de agua muy limpia, y desde esa hondonada croaban las ranas en cuanto bajaba el sol. Olga se recostaba en el hombro de Rubén y aspiraba con deleite su aroma a tierra y sudor reciente. Luego, como no podían abrazarse, impedidos por los respaldos de sus respectivos equipales, iban a la orilla de la terraza, donde Olga podía tenderse sobre el suelo para recostar la cabeza sobre los muslos de Rubén que, dejando colgar las piernas, le acariciaba el pelo, el cuello, las delicadas orejas y murmuraba:

—Quiero vivir contigo, quiero tenerte siempre, aquí tenemos una bonita casa, te traes a tus hijos y nos casamos... Apretujarte así como ahora —y le puso un fuerte apretón abrazándola por la espalda—. Pero sin estar vigilando por si alguien llegara, con el oído atento a cascos y a pisadas. Desde que te vi por primera vez me dejaste turulato... Olga... Olga...

Olga cerraba los ojos, sin responder. «Te traes a tus hijos y nos casamos», se repitió. Era también lo que deseaba. En el pueblo la conocían como «la señora que no está casada». Era una simple referencia. Si alguien preguntaba a un niño cómo llegar a cierto lugar, le indicaba: «Siga por aquí derecho y, al llegar a la casa de la señora que no está casada, tuerce a la izquierda y poco adelante, allí está lo que busca». Algún muchacho precoz se lo llegó a gritar: «Eh, eh, allí va la señora que no está casada». Era un hecho, un dato como cualquier otro. No estaba casada por la iglesia, aunque su matrimonio civil ya era válido, desde que el general se divorciara de la Verdadera.

OLGA CEPILLABA su caballo temprano y salía un par de horas después que Rubén, cada uno a distintos predios para vigilar a los peones. Se juntaban para almorzar al mediodía y regresaban al trabajo. En ocasiones el almuerzo lo hacían con los peones: se reunían bajo un cobertizo de tejas y pasaban en círculo una cazuela de frijoles refritos de la que, con un pedazo de tortilla, cada uno tomaba un bocado y, girando por la derecha, pasaba la cazuela al siguiente. Así hasta vaciarla. Luego Olga sentía obligación de reponer la comida que les habían quitado y sacaba lo que le hubieran dispuesto en la cocina, a veces una gran panela, otras unas carnitas y salsa muy picosa. Era día de fiesta para los peones. Olga nunca había sido tan feliz. Otilio se había instalado en la casa de Tepa, con sus dos hijos, nanas, dos perros labradores y sirvientes. Olga volvía a la hora de la merienda casi todos los días, entre calles olorosas a café con leche. Algunos podía quedarse con Rubén en el jacal. Tenía una sola prohibición:

—No se me vaya a enamorar, Güera...

—Ay, Otilio, Rubén es muy lindo muchacho y el más atractivo de estos rumbos, pero no rebuzna porque le tiene miedo al aparejo... Usted me ganó con su inteligencia.

—Le creeré, aunque, además del rebuznido... algo más tiene de esa bestia, ¿verdad?

—Ni tanto, Otilio, ni tanto —murmuró Olga sonrojada como niña.

—Pues no se ande se ande, Güera...

—No me ando me ando... —respondió y al instante vio que había vuelto a caer en el insípido juego de palabras, las carcajadas del general le avisaban. Olga apenas sonreía: no le gustaba tropezarse en algo tan simplón.

Esa madrugada no pudo soportar la cercanía de su marido y se levantó. Con su bata de lirios azules paseó un rato frente a la huerta, cuidando de no seguir el pasillo hacia la habitación de Rubén. Uno de los perros se le acercó meneando la cola.

—Ven, chuchito, ven... —y le rascó detrás de las orejas.

Rubén oyó sus pasos, que no se decidían a entrar, y salió.

El perro fue hacia él con paso alegre. Rubén le dio palmadas en la cabeza.

—Olga... Te vas a resfriar, la madrugada está fría.

—Esta bata es suficiente, mira, está forradita, no tengo frío.

—Pero, Olga, ¿y el sereno? —dijo tocándose los rizos altos de la cabeza.

Ella lo miró con arrobo, con urgencia de estrecharlo entre sus brazos, protegerlo de... de ella en primer lugar, de Otilio, y, claro, del sereno. Entró con Rubén pegando una carrerita. Cerraron la puerta dejando al perro afuera y de pie se abrazaron. El perro rascó la puerta para entrar.

—Tócame la cabeza, Rubén, mira... No me mojó el sereno.

—Porque salí yo, que si no...

Olga dio un paso atrás para mirarlo completo y encontró que en la penumbra parecía apenas un adolescente alto.

CON SERGIO inscrito en una primaria de Tepa, parecía que el general Zubieta hubiera concluido su carrera política. En Guadalajara no tenía puesto alguno. Tampoco en la capital, donde el general Ávila Camacho no lo hacía en este mundo. Olga era feliz y él también. Se dio a engordar sentado en los equipales de su terraza con vista a jardines y huerta bien cuidados por tres peones que dejaban las tareas del campo cuando eran necesarios en casa. Y quizá fue la simple ociosidad la que puso en su boca palabras que no deseaba pronunciar... ¿O qué fue?:

—¿Y no le gustaría casarse, Güera? Por la iglesia y todo... De mí ni se preocupe: no necesita divorciarse. Dejará de ser en este pueblo «la que no está casada» y todo mundo la respetará, no tendrá que pasarse el día en el campo para ver a Rubén. Le podrá festejar su cumpleaños ahora que cumpla... ¿cuántos?

—Veinticuatro.

Otilio la miró largamente, hasta hacerla sonrojarse, y permaneció serio un momento que a Olga pareció eterno.

—Así que veinticuatro, bien que se lo sabe, Güera.

—A mí me gusta el campo y lo que digan de mí en este pueblo de mochos cristeros me tiene sin cuidado: viejas como urracas y curas tripones.

—Pero, piénselo. Yo me regresaría a México. Necesito estar por allá. Mire, nadie va a venir a buscarme a Tepa con el fin de ofrecerme una senaduría, que bien la merezco...

Olga se negó, y lo hizo con una tozudez que no admitía duda: era un rechazo sincero. El general buscó el apoyo de Rubén. Su sobrino lo escuchó pasmado, pero entusiasta.

—¿De veras, tío? ¿No me está calando a ver si caigo?

Olga estuvo así entre dos insistentes llamados a casarse. Otro llamado, el tercero, venía de ella misma: deseaba con toda su piel estar entre los brazos y el pecho de Rubén... día y noche, con él en el campo, almorzando a la sombra perfumada de un pirul, yendo a la cama y despertando envuelta en su aroma tibio y con el peso de su brazo sobre sus pechos, sentirse buscada en sueños cuando el joven dormido la echara de menos, verlo dormir y contemplar sus pestañas oscuras, su rostro sin tensión, con la placidez del trabajo y de la felicidad. Así lo había estado contemplando algunas noches en que perdía el sueño para no cesar de mirarlo dormir y desbordar de dicha cuando, a propósito, se retiraba un poco y aquel brazo cubierto de vello suave la buscaba sin despertar, como un animalito independiente y Olga retenía el momento de hacerse encontrar, prolongaba la búsqueda inconsciente, en sueños, que es asomarse a la verdad pura y desnuda del amor de un hombre. Con gran precaución se iba enderezando lentamente, ponía a su espalda una almohada gruesa, y así conseguía la distancia necesaria para ver desde arriba y atrás los párpados cerrados de Rubén, la hilera de sus pestañas vistas contra las mejillas en las que despuntaba la barba rasurada apenas por la mañana: no había ningún esfuerzo en los párpados, que simplemente caían por su propio peso, ninguna tirantez en los músculos del rostro. Olga dosificaba la ausencia porque un exceso lo haría despertar; el límite, lo conocía bien, era cuando emitía un golpecito de aire con los labios cerrados, una leve queja porque su brazo, independizado y despierto, no encontraba el cuerpo de Olga; poco más y lo haría salir del sueño, así que, con una sonrisa beatífica, se dejaba encontrar por aquellos movimientos guiados por alguna misteriosa región en vela. Al tocar el cuerpo buscado, el brazo se estremecía, daba leves tirones de mando, órdenes para aproximarse más. ¿Quién enviaba esas órdenes cuando Rubén dormía profundamente? ¿Quién mandaba en esa mano que, al encontrar el calor de Olga, se aferraba con energía y suavidad? ¿Quién la atraía para sentirla más cerca si el dueño de esa voluntad estaba en profundo letargo?

Olga se resistió al matrimonio a pesar de todo: otra voz, igualmente inconsciente, veía venir encima una sombra amenazante. Dejó de repasar sus dudas cuando se descubrió embarazada. La juventud de Rubén había despertado la sexualidad del general. Por sus cuentas, Olga supo que, para su desencanto no era de Rubén. Pero no hubo forma de convencer a su marido con datos y fechas. El general ordenó un inmediato aborto. Olga se negó, pero su marido no le consultaba su parecer: daba una orden precisa, tanto que hasta el lugar, la hora y el médico tuvo dispuestos. Olga debía ir a Guadalajara. El chofer la llevaría. La cita era a media mañana.

—En el sanatorio pasarás la noche y yo iré por ti al día siguiente. No será nada, es un procedimiento muy sencillo y el médico es un experto. Vas a una buena clínica, no hay nada qué temer.

El sanatorio tenía buen aspecto, a una cuadra de la avenida Juárez y del jardín del Carmen. Olga vio su reloj y ordenó al chofer que se detuviera, daría una vuelta a la sombra de los fresnos y volvería al auto, dijo. Caminó hacia la iglesia del Carmen y sintió que iba a caer, las piernas no la sostenían. Cayó sentada en una banca y lloró, lloró largamente, miró los gorriones que se bañaban en la fuente central, y tomó una decisión. Se dirigió al auto, estacionado en la avenida Juárez con dirección a la Calzada Independencia.

—Déjame el coche —exigió—. Te regresas en autobús, toma... —y le extendió un billete de veinte pesos—. Le dices al general que... que... Pues le dices esto: que te boté del coche y no sabes más.

Manejó hasta México. Su tío David había comprado un gran terreno arbolado en Tlalpan, en la orilla del Distrito Federal, y allí había construido cuatro casas, una en cada esquina, para sus cuatro hijos, y, en el centro, una gran residencia patriarcal. Todo el predio estaba circundado por una barda de cantera y a la entrada tenía el portero una casa desde la que podía atender a los visitantes y abrir el gran cancel de hierro luego de consultar por interfón a la familia buscada. A Olga le abrió de inmediato. Se estacionó en la zona de arena dispuesta para autos visitantes. Entró por la terraza amplia, bordeando un gran «espejo de agua» que pasaba con sus quince centímetros de profundidad por debajo de los ventanales con vidrios del suelo al techo. La tía Pánfila le salió al encuentro.

—¡Olguita de mi corazón! ¡Mi varita de nardo! ¡Mira que apenas doy crédito a estos ojos! —y el llanto no la dejó continuar su perorata usual. La pasó a la biblioteca, donde su tío David leía en un gran sillón tapizado de tela con dibujo escocés.

Por supuesto aprobaron su decisión:

—En esta familia jamás ha habido un divorcio ni menos... eso... un... aborto —declaró el tío con la tía meneando la cabeza llena de anticuados caireles en señal negativa y afirmativa sucesivamente.

Se quedaría con ellos el tiempo que deseara.

—¿Sabe tu madre que estás aquí?

—¡Dios me libre!

Ya era inútil tratar de remediar el exabrupto. Los tíos se miraron, Pánfila movió los caireles hacia los lados, podía significar «qué se le va a hacer» o cualquier otra cosa.

Estuvo una semana. David telegrafió al general que Olga se encontraba del todo bien y regresaría en breve.

Pasado el tiempo convenido, dispusieron auto y chofer para que la entregara en casa de su marido. Cinco meses después, Olga dio a luz una niña en el mismo sanatorio de Guadalajara donde habría ido al cubo de la basura. Olga vio la plaza del Carmen y la fuente donde aquellos gorriones bañándose le habían infundido valor y se guardó para sí el recuerdo. Zubieta revisó a la recién nacida desde la cabeza cubierta de una pelusilla clara a los pies. Al llegar al dedo gordo del pie, declaró con voz triunfal:

—Es mi hija... Tiene el mismo dedo gordo del pie.

Olga respiró satisfecha y se guardó mucho de comentar que también Rubén tenía ese curioso dedo gordo del pie:

era lo único, en todo Rubén completo, que Olga habría modificado si le fuera posible. Pero sabía, íntimamente, que en efecto, era de Otilio y eso la entristecía. Dos días después volvieron a Tepa.

ISABEL, CON UNA maleta de cartón, un canario en una jaula y alegría desbocada porque hubiera sido niña, ¡niña!, ¡una niña al fin!, llegó a ocuparse de su hija recién parida y de su primera nieta a la que, desde que la vio en la carriola adornada de velos y listones, llamó sin más «Isabelita». Olga no se atrevió a chistar.

Pero Zubieta dijo sin tapujos que la niña no se llamaría Isabel.

—Ay, general, ¿pero qué tiene usted contra su suegrita? —dijo Isabel con la voz melosa que podía tener cuando estaba en campo ajeno—. Es, además, muy bonito nombre y el que Olga ha escogido.

Olga escondió la mirada en el tazón de chocolate donde sopeaba un birote fleiman de Guadalajara.

—A mí no me lo ha dicho Olga, pero, en todo caso, aquí mando yo y mi hija llevará el nombre de mi madre: Ana.

Isabel se endureció como si la hubieran clavado a la silla, la mandíbula y las mejillas, la frente y los ojos mostraron a una mujer que Zubieta jamás había visto. Tuvo ante sí a aquélla cuyas apariciones, desde los sótanos íntimos de Isabel, conocía sólo por referencias. Vio el rostro descompuesto de una desconocida que lo insultó a él, a su madre por llamarse Ana, a su padre por ser hombre, a Eugenio el infeliz tullido, a Olga, a Matilde por abandonarla y casarse con un tal Esaú que también la odiaba por razones indescifrables, a todos los hombres sobre este mundo con excepción de su bondadoso hermano David; se levantó tirando la silla, voló por el comedor como un ánima aullante, como viento encrespando las olas, como huracán doblegando árboles; ayes y lamentos nunca imaginados, ropa desgarrada, mejillas arañadas con sus propias uñas, cabellos arrancados a mechones: eso cayó sobre un general Zubieta boquiabierto, pálido, defendido por el alto respaldo de su silla, de la que había saltado, en guardia, cuando ante sus ojos ocurrió la aparición. Finalmente se dio por vencido y, chocando los tacones de sus botas de campo, como si trajera uniforme de campaña, dio media vuelta con estilo marcial y salió gritando con voz inusualmente destemplada que le llevaran su caballo. En sus campos, tardó en serenarse. No regresó sino luego de enviar a Rubén con la orden de que la señora Isabel hiciera maletas. Rubén debía llevarla al centro de Tepa y subirla en el primer autobús con salida a donde fuera.

Rubén volvió con la buena noticia de que nada de eso era ya necesario, pues doña Isabel se había marchado. Un mozo la había conducido a la plaza de Tepa, donde la dejó comprando un cuarto de carnitas que le pusieron sobre papel de estraza y ella cubrió de chiles serranos en vinagre que comía a puños, sentada en una banca frente a la iglesia, con su maleta de cartón y su canario a un lado.

—Estén pendientes —ordenó Zubieta—, no sea que vuelva.

Y se dirigió derecho hacia su hija, la levantó cuanto pudo con los brazos extendidos, la llamó tiernamente «Ana», «Ana», y luego dirigió una mirada curiosa a Rubén.

—Se parece a ti, Rubén —dijo sombrío.

—No se lo noto, pero tampoco sería raro, tío: soy su primo hermano.

12
Una boda de azul

EL AMOR Y EL deseo hicieron su labor de zapa y Olga acabó escuchándolos. Todo habría seguido aquel paso de río sin rápidos ni cataratas en el que por las noches dormía a su hija tomándola de la mano, hasta hacerle el mal hábito de no dormir mientras no tuviera afianzada la mano de su madre. Los días se habrían sucedido sin alteración: a caballo en el campo, almuerzo con Rubén, a veces mirar el atardecer juntos en el portal de arcos blancos, regreso al pueblo para estar con sus hijos en la merienda de café con leche y migas de tortilla y huevo, dormir con su marido, muy pocas veces con algo de sexo y siempre «a gallo pasado», que era un precio finalmente aceptado por Olga: tenía a Rubén en plenitud y, a cambio, soportaba la satisfacción de un hombre al que debía volver, pero satisfecha. Las ausencias del general le ofrecían noches en el jacal, en brazos de Rubén, si bien cada vez más espaciadas porque Ana lloraba la noche entera y no dormía ni dejaba dormir si no la acompañaba su madre hasta el momento de perder conciencia. Lo cual era culpa de la madre y no de la niña, como Rubén se lo hizo ver en cuanto no tuvo a Olga alguna noche en que la ausencia del general les habría permitido estar juntos hasta el amanecer, que era el mayor deseo de Rubén, el de ambos. El obstáculo nadie sino Olga misma lo había levantado: el llanto de su hija era a la vez un cultivo y una zarza. Quizá los minutos en que dudó, sentada en el jardín del Carmen, frente a los gorriones en pleno baño, no se los pudo perdonar a sí misma.

Así habría sido la vida de Olga y un buen día habría tenido los hijos de Rubén con autorización de Otilio. Pero Olga, que había cometido el error de enamorarse, sin culpa porque eso es involuntario, hizo algo peor, que fue prestar oídos a la sibila que desde su trípode le mostraba el engañoso sendero del amor sin restricciones. Y eso no estaba convenido. Peor aún, como toda enamorada, quería vivir con Rubén, dormir en sus brazos, meter su cabeza dentro de sus axilas, olerlo hasta quedar dormida, levantarse a prepararle un desayuno ligero, su tazón de café con leche; llevarle el almuerzo al campo, ver atardecer desde el portal, callados y tomados de la mano, oyendo las ranas y viendo surgir una a una las estrellas: Sirio azuloso en noviembre, el enorme Alacrán de brillante aguijón a fines de mayo, antes que las nubes de junio lo ocultaran. Eso, que no era mucho para ella, era demasiado para el general Zubieta. Le insistió en que debía casarse.

—Conmigo no tendrá problema, Güera. Rubén es un sobrino al que tengo plena confianza. Con él estará segura usted y estas tierras, que son el patrimonio de sus hijos, quedarán en buenas manos. Yo me voy a México, a la casa de la colonia Roma… debe de estar descuidada, pero la mando reparar. Y me llevo a Francisco que ya podría tener celos de hijo y ponerse desagradable, arruinarle a usted la fiesta. Ana es muy pequeña y estará feliz sin saber ni lo que está ocurriendo… y, además, le ha hecho usted la mala costumbre de permanecer junto a ella hasta que cae dormida: no me la podría llevar sin sentenciarme a noches completas en vela, perder la paciencia, acabar empeorando la situación con unas buenas nalgadas, que bien que se las merece, vaya que sí. Es un consejo de hombre que llegó a los sesenta y, en diez años más, cuando usted ande echando chispas de treintañera en todo el esplendor de ese capullo que es ahora, será un anciano de setenta... No, no... Mi sobrino la adora. Cásese, Güera. Ya le he dicho que necesito volver a la capital, acercarme de nuevo al Partido, quiero ser senador. Pero aquí, en este pueblo de mochos, como usted dice, estoy desaparecido. Hago largas siestas por la tarde, meriendo con mis hermanas, a las que usted prefiere no ver... Lo entiendo... Mire, me voy a México y será volver a vivir, vendré a verla como senador de la República.

Y Olga se casó. Se mandó hacer un vestido de novia azul, muy pálido, casi blanco, pero azul, y en México sus tíos le compraron una hermosa mantilla española, blanca y tan grande que caía sobre la breve cola del vestido. Llegaron también su madre y Matilde, casada con Esaú Sánchez en Mina de Plata y con dos hijos que llevó a la boda con trajecitos hechos por ella misma: el buen casimir gris de un traje echado a perder por Esaú con una quemadura de cigarro, y un ribete de terciopelo negro en las solapas, disimularon la falta de destreza en la sastra. El mayor de los niños se llamaba David en honor al mítico tío abuelo, y Esaú por su padre, David Esaú, el menor era Abel, un niño encantador y guapo, le decían *el Borrao* por los ojos gris azuloso. Matilde, con un curioso afán denigratorio que la caracterizaría toda su vida, cuando le hacían notar la belleza de su hijo menor declaraba que tenía ojos «color de agua puerca». Nadie entendía por qué. A quienes le elogiaron su elegante vestido largo, informó que años atrás había sido de Olga, «y si te fijas, está roto de por aquí... ahora verás... mira... Y este fruncilete de remiendo tan mal hecho se lo hice yo...» La miraban sonrientes y sin comprender la exposición de defectos que no habían preguntado.

En el primer café que las hermanas tomaron solas, por la tarde y en el corredor frente al huerto, Matilde comentó que tenía dos meses de embarazo. Aún no lo sabía, pero lo llamaría Alejandro. Y cuando le hicieran notar la extraordinaria combinación de piel acanelada, cabello rojizo y ojos verde aceituna, ella remataría con un «sí, está todo parchado» que helaba el elogio en una sonrisa de desconcierto. Esaú padre había llevado su mejor traje oscuro, pero luego resultó que había invitados hasta en saco mal combinado con el pantalón. Eugenio se disculpó por no asistir a la boda de su hija mayor. Le envió con David Salinas y Pánfila muchos besos y una sombra le pasó por los ojos al decirlo. De su quinta en las faldas del Popo, David Salinas hizo llenar un camión de cuanta flor blanca estuviera a punto y la mandó en paquetes apretados con recomendaciones por escrito de cómo tratar la flor, a cuáles poner hielo en el agua y cuáles botones hacerlos abrir con agua tibia el mero día de la boda. En las portezuelas del camión se leía Popo Park, donde producía flores por millares y pollos de todo tipo en incubadoras industriales importadas. Él y Pánfila se adelantaron en su auto conducido por chofer de la Cámara de Diputados.

También se cuidó Olga de no llevar azahares: el camión de redilas que servía para carga en el rancho llevó a la novia, a su hermana y a los invitados más jóvenes, se detuvo en casa de Olga donde ya le habían cortado de su propio jardín un gran ramo de alcatraces crecidos junto a la acequia de riego, y se casó por la iglesia. La gente decía que en ese vestido azul pálido semejaba la virgen de Fátima, si bien muchos opinaban que Olga era más bella y, como el mismo camión luego servía en las procesiones religiosas como carro alegórico, se hubiera pensado que representaba las apariciones a los pastorcillos.

Mientras estaban ante el altar, Ana cayó al suelo al tratar de subirse a un reclinatorio y soltó el llanto. Olga sintió un frío en el pecho, el aletear de un mal presagio.

Ya para comenzar el banquete de boda, bajo un toldo atado por un extremo a la casa de arcos blancos que llamaban el jacal, llegó el juez y los casó por lo civil, como había recomendado el general Zubieta.

ANTES DE UNA semana llegó la carta: el general le ordenaba entregarle de inmediato a Ana, enviarla a México con el chofer portador de la carta, y despedirse de sus hijos, que en adelante vivirían con él. «Y si acaso tuvieras la ocurrencia de pelear en tribunales la patria potestad para retener a tus hijos, me será muy sencillo ganar demostrando tu adulterio. No olvides que te casaste con Rubén sin obtener, primero, mi divorcio. Ante la ley, eres bígama, y eso, para cualquier juez, es motivo sobrado para negarte la custodia de tus hijos. Tengo la ley de mi parte.»

Olga se quedó sin sangre: el torrente completo rezumaba por sus pies y lo absorbía la tierra. Cayó por un pozo donde sólo se oía el llanto lejano y premonitorio de Ana en la iglesia.

Su tío David había regresado a México, Matilde y Esaú con los niños preparaban su regreso al día siguiente.

—Debo hablar con mi tío, Ma, es el único que podría ayudarme. Lo conoce todo México, le deben favores los diputados, ha sido senador y es tesorero de la Cámara... Él moverá cielo y tierra, pero Otilio no me quitará a mis hijos —dijo con una ferocidad que su hermana jamás le había escuchado—. Acompáñame a México, te lo suplico. Y no le cuentes a nadie —dijo sin tener en mente a nadie más que a su madre.

Matilde pidió autorización a su marido, Esaú, para ir a México. Lo obtuvo porque Esaú estaba conmovido por la inesperada desgracia de su cuñada. Se llevó a sus dos hijos con él y Matilde lloró de agradecimiento.

Al día siguiente estaban las dos hermanas ante el portón de hierro que les abrían para que entrara el taxi hasta la casa principal. La tía Pánfila, a quien acababan de ver poco más de una semana antes, se desbordó en cariños que harían suponer algunos años de separación. Llamó a Olga su «terroncito de azúcar», «gotita de miel» y, pero por supuesto, «mi varita de nardo».

—Y tú, Matilde, mira nada más la belleza serena que te envuelve... Sí eso es: un halo de belleza serena...

Luego puso su mejor expresión de ansiedad y con el desasosiego conmoviendo sus breves pasitos las condujo a la biblioteca, donde ya las esperaba el tío David. Pánfila pidió café y la tarta de pera que había enviado una de sus hijas.

Olga se limitó a entregar la carta a su tío, luego de intentar leerla. David, sentado en su butaca preferida, leyó en silencio mientras se atusaba el bigote blanco. Devolvió a Olga el papel, arrugado por tantas lecturas de Olga, que esperaba, a la trigésima ocasión, leer otra cosa y no lo que decía. David se puso en pie y caminó por la biblioteca, tres veces la cruzó con las manos intranquilas a la espalda y la cabeza baja. Al fin pareció decidirse, se plantó frente a Olga:

—Pues no veo de otra, Olguita, no veo de otra... Si Otilio te exigiera pararte de cabeza a medio Zócalo encuerada... lo tendrías que hacer... o acabar en la cárcel.

—¡Tío! ¡Algo se podrá hacer! Tú conoces abogados, senadores, al presidente...

—Nadie, Olga, nadie puede ayudarte. ¿Qué te pide Otilio?

—Que me divorcie de Rubén, con quien me acabo de casar por consejo... no, qué va, cuál consejo, por exigencia de Otilio... Tío, años estuvo a zas y zas... Años, tío, años... —y finalmente pudo soltar un breve llanto que se le atragantó y quedó reducido a queja sorda.

—Pues hay de dos, sigues al lado de Rubén y consigues permiso de Otilio para ver a tus hijos con alguna frecuencia, lo cual un juez de seguro te autorizará, o... Bueno, ya lo dijiste tú misma: o te divorcias de Rubén. ¿Qué te recomiendo yo? Hum... Como están las cosas, te lo digo sin duda, Olguita, sin duda y de todo corazón: inicia un proceso para que, sin destruir a ese pobre muchacho, que ya vi cómo te adora, y en quien está tu futuro, y un futuro largo, Olguita, porque eres muy joven... preserves el sagrado derecho de la madre a ver... a... a visitar a sus hijos con la regularidad que la clemencia del juez disponga. Y en eso sí te puedo ayudar, hijita: te prometo obtener una sentencia muy favorable; pero no habrá cómo te los entregue, eso olvídalo, Olguita... hijita, olvídalo, pero los derechos de una madre a mantener un lazo con sus hijos, un juez los pondrá a salvo... eso te lo prometo, y, mira, hijita... no será un mal arreglo. Te doy mi palabra y empeñaré todo mi prestigio, mis relaciones...

Pánfila estaba hecha un mar de lágrimas y eso contenía a las dos hermanas, que no deseaban imitarla. Salieron sin haber tocado el café.

OLGA NO CESÓ de retorcerse las manos y llorar en el auto dispuesto por su tío David para su regreso. Matilde, también deshecha, volvió a Mina de Plata con la mala noticia para Esaú.

—Sígase hasta Guadalajara —pidió Olga al chofer de su tío. Una idea le había brotado como si una voz le hablara al oído: «El arzobispo, Olga, el arzobispo», le murmuraba—. Y en cuanto lleguemos se sigue hasta el arzobispado, a espaldas de la Catedral.

«El arzobispo, un hombre al que Otilio respeta, su tío, aunque lejano, lo hará entrar en razón. Eso, eso es... ¡Pero que tonta fui! ¡Ya está, una llamada de don... como se llame, lo hará reflexionar en el mal que hace y el daño a que expone su alma! Sí, por supuesto, ¡el arzobispo!, para que le hable a Otilio de la eternidad... de la salvación de su alma, ahora en peligro...» Y agradeció con fervor a Dios el buen consejo.

Se anunció en la sala alfombrada y silenciosa como la esposa del general Otilio Zubieta, sobrino de su eminencia, así lo llamó sin estar muy segura de emplear el título adecuado. Le informó el sacerdote que la atendía, uno que vestía sotana con ribetes morados, que en ese momento el señor arzobispo se encontraba en México, en la basílica de Guadalupe, donde debía tratar algunos asuntos de culto con monseñor Cortés y Mora, el señor abad. Su Santidad, el papa Pío XII, deseaba informes sobre un cierto proyecto de beatificación.

A Olga le sonó el nombre y quiso pasar por enterada. ¿No era por quien tanto discutían su padre y su madre cuando ella era niña? El de los cristeros:

—Ah, vaya, sí, monseñor Mora y del Río es ahora abad de la Basílica...

—No, hija mía, no, aunque monseñor Cortés y Mora, no Mora y del Río, también sufrió persecución y hasta cárcel por nuestra santa fe en Nuestro Señor Jesucristo Redentor del Mundo.

«Metí la pata», se dijo Olga un tanto sonrojada. «¿Qué me importaba hacerme la...», y oyó la voz de su madre: «la Marisabidilla». Sonrió.

—Es verdad... —e iba a decir «su eminencia», pero el cura no parecía merecer aquel tratamiento y sólo repitió—: Es verdad...

Pero le presentaría su solicitud de audiencia al obispo coadjutor, concluyó. Debía dejar un teléfono a dónde llamarla. Olga no lo tenía, pero recordó el hotel Roma, sobre la avenida Juárez, y dio el nombre.

—Nosotros buscamos el número telefónico, hija mía, y la llamaremos a más tardar hoy por la noche.

Olga no supo cómo despedirse, si debía besarle la mano, comenzó el movimiento para dar el beso y se detuvo. Salió mirando a sus lados los retratos al óleo de obispos con las más diversas caras y actitud similar. Llegó a su coche y pidió al chofer que la dejara en el hotel Roma y ya podía volver a México, no quería abusar de la amabilidad de su tío. Se registró. Causó sorpresa que por todo equipaje sólo llevara un neceser y una gabardina. «Será sólo una noche», explicó. Hacia las seis de la tarde recibió la llamada en su cuarto: el señor obispo tendría mucho gusto en recibirla al día siguiente a las nueve de la mañana. Sentía mucho no invitarla a desayunar con él, pero ya tenía un compromiso previo.

En punto de la hora estuvo Olga en el arzobispado. Al anochecer ya estaba de regreso en su casa. Abrazó a Rubén con tristeza y le hizo el resumen: ni los más altos políticos ni los jerarcas católicos podían ayudarla.

—Pues del obispo de marras, con el que hablé, tú, me han dicho que fue cristero, un hombre gordo de mirada fría a través de unos gruesos lentes redondos, y un bonetito morado. Me recibió en su oficina, una como sacristía con cuadros tan negros que ni sabes qué santo es aquel y un enorme crucifijo sobre su mesa, una mesa, que mira Rubén, cariño, nomás en fotos he visto algo así, como de Catalina la Grande, tú; me puso casi a fuerzas un gran anillo en la boca para que se lo besara y así lo hice, hincada, con mirada suplicante, habría hecho lo que me pidiera.

—Eres muy irrespetuosa, cariño...

—Pues ya no te platico nada y sanseacabó.

—No, no... Mira cómo te sulfuras de rápido, cariño. Dime lo que te respondió el señor obispo, ande, ya —y le puso un beso en los labios.

—Hum, que tomara asiento, dijo —continuó Olga recostándose de nuevo en Rubén—, y hasta «hija mía» me llamaba, tú. Yo comencé por decirle «monseñor» y creo que la regué porque se sonrió medio burlón... Total, que no hicimos buenas migas, oyes. Y luego, en un santiamén, ya estábamos hablando de mi matrimonio ilegítimo con el queridísimo sobrino del arzobispo, el que anda en México, pues, con sabe qué asuntos de una beatificación; y me dice tan orondo que el general se había maleado durante la Revolución y perdido todo temor de Dios y abandonado a... a la Verdadera... claro que no la llamó así, pero se entendía... Si hasta creo que hablaron estos curitas por teléfono, oyes... Es que, mira pues, nos sabía vida y milagros: que Otilio se podía haber divorciado ante las leyes de los hombres, pero continuaba atado por el sagrado sacramento del matrimonio y esos lazos eran celestiales... Toda esa cantaleta que me sé muy bien. Sí, ahora estoy segura —dijo como si hubiera oído una voz—: el de Guadalajara le habló al tío de Otilio para preguntarle qué debía decirme. Y, claro está, me lo soltó con voz segura y lenta, como si leyera, tú: el pecado en que yo había vivido estando con él en amasiato. Ahora, Dios me enviaba una prueba, y era muy dura porque mi pecado había sido grande. Y va y me dice, tú: que debo agradecer al Altísimo la oportunidad que me brinda de pagar mis culpas en el mundo y no en la eternidad, oportunidad que no siempre ofrece Dios a otros pecadores porque los designios divinos son inescrutables; pero a mí me abrió las puertas de la Gloria a través del sufrimiento que no es nada, nada, comparado con el sufrimiento eterno. Y, oyes, que ya estaba viendo yo que salían las llamas del infierno de por debajo de la alfombra y me achicharraban. Y «bueno, hija, Dios te bendiga y sufre con el consuelo de saber que estás pagando una deuda y no como el santo Job que pagó lo que no debía...» Y pues eso, cariño, que salí de allí como un chucho apaleado. Mira tú nomás: que he recibido una especial bendición de Dios...

13
Rubén ofrece una solución

FUE RUBÉN quien ofreció una solución: si los niños iban a estar en México, y eso dificultaba que Olga los viera con frecuencia, podían mudarse a la capital, donde la madre de Rubén tenía una casa de huéspedes ubicada, también, en la colonia Roma, a distancia caminable, no más de diez cuadras de la casa de Otilio.

Así lo hicieron. La madre de Rubén, casada con un hermano menor de Otilio, muerto de la gripa española en 1919, cuando la joven tenía sólo dos meses de embarazo, nunca se había quitado el luto y se presentaba como la viuda de Zubieta, María. Un hermano de Rubén, Arturo, le ofreció empleo en su negocio de telas por la calle de Correo Mayor, atrás del Palacio Nacional. Le quedaba muy lejos al muchacho, pero lo aceptó.

El Rubén capitalino carecía del encanto ranchero que había enamorado a Olga. Ésta, lo primero que observó fue que, durante el primer desayuno que hicieron en casa de su suegra María, Rubén no empleó cubiertos. Su madre le hizo una carne asada, bien llena de salsa picante y no dispuso en la mesa cuchillo ni tenedor. Olga creyó que era un descuido y se habría levantado a buscarlos si no recordara la insistencia de su suegra: «Tú te sientas, hija, te sientas aquí, mira, y nada de que me andes ayudando, a mi hijo le sirvo yo, y claro, a ti, hijita, me basto sola». Y le sirvió primero a su hijo. Olga dejó sus dudas cuando Rubén tomó una tortilla, recién calentada por su madre, no había servicio doméstico en su casa, la partió y con los pedazos cogió la carne y la separó por el hilo, haciendo un taco pequeño que mordió con muestras de placer; también con tortilla hizo cucharas para levantar la salsa. Olga había pedido sólo un huevo frito y tampoco vio cubiertos al lado de su plato, así que se levantó por un tenedor y aprovechó para llevarle otro a su marido, así como un cuchillo. Rubén los vio, pero siguió comiendo con trozos de tortilla y dando sorbos al café con leche.

—Hijo, ¿vino el gas en lo que estuve afuera? Ya tenemos poco.

—Nadien, mamá. No vino nadien.

—Hum, no haiga sido que no lo oístes y nos quedemos sin gas.

—No, mami, seguro que no.

Olga arqueó ligeramente las cejas, sin comentario. Apenas probó su desayuno. Trataba de recordar de qué manera comía Rubén y descubrió, para su sorpresa, que exactamente así, así como lo había visto. Pero en el jacal del rancho ella no había observado siquiera su manera de comer. Lo besaba mientras él tenía aún la boca llena y la salsa de sus bigotes le sabía «a gloria», según expresión de Isabel cuando devoraba una gran rebanada de sandía... sin emplear tampoco tenedor ni cuchillo para cortarla en trozos. Olga pensó un comentario para hacer conversación y lo desechó, imaginó otro y tampoco le pareció adecuado. Miró de nuevo a su Rubén y no lo encontró: un joven con un traje muy usado, regalo de su hermano, camisa a rayas azules con el cuello algo flojo y corbata con muchos triángulos le sonreía entre sorbos de café con leche. Se despidieron con un beso rápido y ella salió para ver a sus hijos.

En camino, por la avenida Insurgentes entró a una librería y preguntó en el mostrador por algún buen libro. Le mostraron *Al filo del agua*, de Agustín Yáñez, pero no le sonó el nombre. El empleado le recomendó la última novela de Luis Spota: *Más cornadas da el hambre* y una reedición de *El coronel fue echado al mar*. Compró ambas para Rubén y continuó hacia la casa del general Zubieta. Francisco estaría en la escuela, también Sergio, se dijo Olga, pero Ana de seguro no habría cesado de llorar a partir de que despertara de su sueño ligero en el que varias veces durante la noche llamaba a su madre. Recordó las horas en que debió cabecear junto a la niña porque, al menor intento de retirar la mano, así fuera lo más suave y lentamente posible, en el mismo instante en que sentía su manita vacía, lanzaba un grito y se aferraba con desesperación a su madre; sabía Olga que su hija haría esfuerzos por no dormirse, aterrorizada ante la sola posibilidad de sentirse otra vez abandonada... Se le irían cerrando los ojos y, cuando estuviera a punto de caer dormida, los abriría con un leve grito; luego, ya segura de tener la mano venerada entre la suya, volverían los esfuerzos por no dormir. Olga sufría su esclavitud como si hubiera sido vendida a una pequeña reina tirana y le fuera la cabeza en prestarse a aquel capricho. «Olga, hijita», le habían dicho sus tíos David y Pánfila, «le haces mal... Ponle una vez dos nalgadas y déjala berrear hasta que se agote, y santo remedio... Bueno, quizá debas repetir la medicina unas tres noches, no bastará con una, pero no puedes seguir así; no lo hagas por ti, hazlo por ella, por tu hija». Pero no podía: se sabía vendida en el mercado de esclavos de la plaza del Carmen, frente a unos gorriones dándose un chapuzón en la fuente.

Después de cenar, ya en su recámara, Olga entregó los dos libros a Rubén mientras lo besaba con cariño. Rubén abrió uno y, al descubrir que algunas páginas no estaban cortadas, dijo que se lo habían vendido defectuoso. Olga le sonrió y fue a la cocina por un cuchillo. Pacientemente cortó las hojas sentada en el borde de la cama, con Rubén abrazándola y recargado en su hombro, mirándola hacer.

—Soy muy feliz, amor... No te imaginas cuánto... —le murmuró al oído enderezándose y volvió a acomodarle la cabeza sobre el hombro.

Olga sí se lo imaginaba, pero no respondió. Le entregó los libros y Rubén los dispuso con cuidado bajo su lamparita de noche, con el cuidado que habría puesto en acomodar dos tibores chinos invaluables.

—Préstame uno, hoy quisiera leer un rato antes de dormir —pidió Olga.

Lo leyó noche a noche sin que Rubén abriera el otro. Luego los intercambió, terminó el segundo y allí siguieron los dos, bajo la lamparita de Rubén, que no los tocó nunca, salvo cuando Olga los dejaba tan a la orilla que estorbaban el vaso de agua que Rubén llevaba cada noche. Los empujaba entonces, con gran cuidado, como si fueran de porcelana, y hacía lugar para su vaso. Olga les quitaba el polvo una vez por semana.

Durante algunos meses caminó con gusto rumbo a la casa de Otilio, donde, lo sabía por adelantado, luego de esperar a Francisco y a Sergio, al que seguía queriendo como hijo propio, debería salir, antes de la hora de comer, cuando volvía Otilio, y Ana tendría un acceso de llanto incontrolable: lloraba con una desesperación que hacía pensar en que iba a ser la última ocasión en que viera a su madre. Aquel llanto desgarrador le traía recuerdos a Olga, recuerdos y sobresaltos en forma de un vacío en el estómago... Sí, acabó por admitir, era como el llanto de Isabel, su madre: allí la tenía de nuevo, reencarnada en Ana, su pequeña, su adorada a la que de nada servía jurar que volvería al día siguiente ni hacerle ver que nunca había faltado a su promesa. Ana exigía que estuviera siempre con ella y que la condujera a la cama y siguiera a su lado mientras dormía y allí estuviera si despertaba por la madrugada. Así las visitas de Olga fueron dos porque Ana dio en no dormir si no estaba con ella su madre y su llanto podía prolongarse por horas, hasta el amanecer, sin que nadie pudiera conciliar el sueño en esa casa y quizá tampoco en la vecina.

Al salir con inmenso cuidado de la recámara de su hija, ya dormida, pero con la manita aún aferrada a un juguete de hule que Olga deslizaba con suavidad para simular su mano, Otilio la esperaba en el pasillo. Recién bañado y en bata. Le pasó el brazo por los hombros con suavidad y la atrajo hacia su pecho:

—Güera... ¿No cree usted que su marido bien se ha ganado un premio?

—Se refiere, supongo, a Rubén, que es mi marido —dijo mientras sentía que se le helaban las manos y le cosquilleaban los pies.

—No se haga, no se haga... Su marido soy yo, ese otro matrimonio sabe usted que no es válido, es nulo —dijo mientras la besaba en el cuello—. Venga un ratito, hoy estoy bien filoso...

—Pues busque dónde usar su filo, porque no será conmigo...

—¿Y si no la vuelvo a dejar entrar a esta casa? Ana será una monserga... por unos días... Pero los niños se acostumbran a todo... Hasta a conversar en otro idioma. Si me envían de embajador a Alemania, pronto hablará perfecto alemán. También puedo ser cónsul en Nueva York... Nadie notará que Ana habló primero español que inglés.

Olga bajó la cabeza y se dejó conducir a la recámara.

AL CABO DE un año en el que Olga ya sólo fue algunas mañanas a ver a sus hijos, Isabel tuvo la desorbitada idea de que ella podría convencer a Otilio, con argumentos de madre a padre, para que le devolviera sus hijos a Olga y así ella volviera a tener a su adorada nietecita.

Que estaba arriba, en su despacho, dijo la sirvienta al abrir la puerta a Isabel. Tocó muy suavemente con los nudillos y escuchó una voz apagada: «Adelante». Entró y se sorprendió al encontrar el despacho casi oscuro, con los postigos cerrados, y una música que Isabel no reconoció, pero la hizo conmoverse.

—¿Lo molesto, general?

—Pase, pase, doña Isabel... Sólo estoy escuchando música. Mire, esto me lo acaban de traer de Nueva York —y le mostró en la penumbra un álbum con varios discos—. Es la quinta sinfonía de Mahler.

—Disculpe, general, pero la quinta sinfonía es de Beethoven, lo sé bien porque, como usted sabrá, tuve formación en música clásica...

—Sí, Isabel, conozco bien su formación. Sólo que —añadió con tono socarrón— la quinta de Beethoven es de Beethoven y la quinta de Mahler es de Mahler... Esto es el *adagietto*... Oiga usted qué belleza...

Terminó el disco cortando la melodía y el general se puso de pie para buscar en el álbum el disco siguiente:

—Mire, sopese lo ligero que es, y le caben como diez discos, se llaman *long play*. Lo que es una desgracia es que ese movimiento venga en dos discos y se corte de esta manera... Pero no veo en esta oscuridad...

Dejando el delgado y en efecto ligero disco en manos de Isabel, se dirigió a la ventana y abrió los postigos. La mañana era gris, pero las altas ventanas derramaron una gran claridad en el despacho. Isabel vio que Otilio iba vestido por completo de negro, corbata incluida. Se sobresaltó:

—¡General! ¿Ha ocurrido alguna desgracia? ¡Me asusta verlo así!

—Sí, me ha ocurrido una desgracia, doña Isabel: se me murió la mujer que más he amado en mi vida... —dijo mientras sacaba de su funda de grueso papel de estraza el disco con la continuación y lo ponía teniendo ese tiempo en ascuas a Isabel—. Su hija, Isabel, su hija está muerta para mí.

Isabel se llevó la mano a la boca para ahogar un grito y, sin despedirse, bajó la escalera corriendo. Miró hacia arriba: la música, muy lenta, salía por la puerta que no se detuvo a cerrar. Salió a la calle y corrió una decena de cuadras. Entró despavorida a la casa de huéspedes, dando voces en el patio:

—¡Doña María! ¡Doña María! —sin aliento se sentó en el pretil de la fuente de azulejos— ¡Mi hija! ¡Dónde está mi hija, Dios santo!

Apareció Olga en el barandal del primer piso con una pañoleta en el pelo porque hacía la limpieza de su habitación.

—¿Y tanto escándalo, mamá?

—Tu... tu... don Otilio... Está en su despacho vestido de luto, con corbata negra, oyendo una música triste, y dice que te moriste para él —dijo comenzando a subir la escalera apoyada en el barandal de hierro.

—Pues que me entierre, eso se hace con los muertos… Y tú… ¿Qué haces por acá tan lejos y en casa de Otilio?

—Fui a suplicarle que te regrese tus hijos… Sólo yo sé cuánto sufres, también soy madre…

—No, no lo sabes —respondió Olga con absoluta frialdad, y se volvió de espaldas para seguir su limpieza. Isabel miró un momento hacia la habitación de su hija, y decidió que ya nada podía hacer allí, bajó los pocos escalones subidos antes y salió.

Muchos años después, en su ancianidad, Matilde escribiría: «Pues sí la amaba; por caminos retorcidos, pero la amaba. Y mucho».

NO FUE SOLAMENTE la mesa, también la cercanía en la cama. Olga comprobó que Rubén se lavaba los dientes antes de ir a dormir abrazándola como siempre. Quiso ver de cerca cómo se los lavaba y entró con él al baño que compartían con otros cuatro huéspedes de María su suegra. Vio que se lavaba bien. Pero cada noche ocurría lo mismo: Rubén se dormía al instante, como si le hubieran dado un mazazo en la nuca, y comenzaba a respirar pausadamente… En el rancho, ella había esperado esa respiración lenta antes de abandonarse al sueño, era una delicia que no quería perderse, y lo sentía abrazarla mientras la sonrisa de santa Ana mirando a la virgen le resplandecía en la oscuridad antes de acomodar la cabeza rizada de Rubén en su pecho y dejarse ir dentro del sueño. Pero esa misma respiración pausada cambiaba de olor. Rubén inspiraba por la nariz y, cuando su sueño era más profundo, exhalaba por la boca, con un leve ruido en los labios, una efe larga: pfff. Y ese aliento exhalado iba cambiando de olor: se ponía dulzón y luego tomaba contenidos más corporales que comenzaron a enfadar a Olga. Las primeras noches en México, cuando lo notó, le hizo girar con ternura la cabeza. Pero ese movimiento fue siendo cada noche más brusco. Hasta que fue un tirón de tal manera rudo que lo despertó.

—¿Eh?... ¿eh?...

—Sopla para otro lado...

El muchacho se giró por completo para darle la espalda. Olga compungida lo abrazó a su vez y él estrechó las manos de la mujer que amaba hasta en sueños y las puso contra su pecho. Olga sintió el pecho robusto, de músculos fuertes bajo la piel, y el vello áspero por encima, y arrepentida le acarició la cabeza rizada. Él ya estaba de nuevo dormido. Lo volvió a querer. Su amor se despertó avivado por una chispa materna. Pero cada noche fue menos el amor y más el fastidio.

OLGA SALIÓ hacia Guadalajara. Compró cama en tren nocturno y cenó a bordo, en el vagón-comedor. Intentaría una vez más entrevistarse con el arzobispo, tío lejano de Otilio, que podría interceder para que le regresara a sus hijos. Llevó su mejor ropa, la de los buenos tiempos, y su estola de zorros. Era noviembre, para Navidad sus hijos deberían estar con ella. La intercesión del arzobispo haría el milagro.

El arzobispo la recibió y escuchó con atención. Luego cruzó las manos sobre la faja morada. Lo que dijo no fue diferente a lo que ya había oído Olga al obispo coadjutor un año antes:

—Hija mía, Dios Nuestro Señor, en su eterna misericordia, nos manda pruebas dolorosas que debemos recibir como una bendición porque con ese sufrimiento pagamos el pecado que, de otra manera, pagaríamos con la eterna condenación. Así que debes agradecer a tu Salvador que te permita abonar en vida algo del precio que tus pecados adeudan al Cielo... Otilio se debe a su esposa, la única, en la que engendró los únicos hijos que el Cielo quería darle. Comprendo tu aflicción, pero debes verla, te insisto, como remisión de tus muy graves pecados: has vivido con un hombre casado que no muestra temor de Dios y has tenido con él hijos que Dios no envió... Que mi querido sobrino es soberbio lo sé porque, desde los tiempos de nuestros santos mártires, caídos en la guerra con que defendieron su fe en Cristo nuestro Rey, cuando tú eras apenas una niña, en vano he intercedido ante él por estas grandes causas, mejores que la tuya, hija, y es una roca inamovible. He rezado por él y por su eterna salvación y ahora, hija mía, lo haremos juntos: haz el favor de hincarte...

Olga se hincó en la mullida alfombra, cuidando sus medias, el arzobispo sobre un cojín de seda púrpura, y rezó en los términos piadosos que él le fue dictando con voz engolada, palabras que pedían por la eterna salvación del alma de un buen cristiano descarriado a causa de los tiempos que corrían y la impiedad del gobierno y de la sociedad.

Salió a la luz del día, una clara mañana de otoño, y tomó asiento en una fría banca de la Plaza de Armas, de frente al Palacio de Gobierno, bajo un naranjo, mirando el kiosco de cúpula sostenida por tetonas idénticas. Se fumó un cigarrillo, regresó y pasó frente a la Catedral, cruzó la calle lateral, y entró a la iglesia de la Soledad. Vio la imagen de María con el corazón lleno de espadas, los ojos levantados a lo alto y las cejas afligidas... como las tenían ella y su hermana. Quería pedir fuerza, pero le ganó la risa: hasta entonces no había entendido una expresión de Isabel, su madre, cuando insultaba a cualquiera de las hijas y le ponían una cara de aflicción que Isabel llamaba «cara de *Dolorosa* con pedorrera».

Luego recordó las imágenes de Pío XII en los noticiarios del cine, llevado en un trono sobre andas, a hombros de altos y guapos guardias suizos, la triple corona y el manto tieso y relampagueante de joyas, y aquellos dos abanicos en largas perchas, uno a cada lado del Papa, abanicos de enormes plumas de avestruz balanceados como si de veras le echaran aire fresco. «Se los habría envidiado Cleopatra», murmuró al acabar de perder la poca devoción con que había entrado.

«Yo no creo en esto», se dijo mirando la *Dolorosa* en el altar, y tomó el tren a México para cumplir la condición que Otilio exigía. Inició los trámites para divorciarse de Rubén.

MARÍA, SU SUEGRA, la oyó con expresión de horror, las uñas en sus mejillas, los ojos desorbitados:

—Rubén, mi hijo, está casado contigo por la Iglesia... ¡Olga! —y se derrumbó en un sillón que tenía por respaldo tres medallones ovalados y era todo su orgullo.

Rubén pedía al menos una explicación, un motivo:

—Si es por recuperar a tus hijos, lo acepto, cariño; pero dime que aún me quieres y que todo es un trámite exigido por mi tío... Dime que nos seguiremos viendo... como antes de casarnos, a escondidas de mi tío...

Estuvo tentada, ante esa frase, de mentir por piedad y darle al divorcio el sentido puramente utilitario que Rubén imaginaba. Pero, se dijo, tampoco es justo: la verdad es que ya no lo quiero.

—Sabes... sabes bien que no fue a escondidas, Otilio estaba al tanto, me enviaba, y luego me gustaste... Y mira, podría darte la suave y aceptar que nuestro divorcio sería sólo un trámite exigido por la maldad de Otilio, pero te soy franca: ya no te quiero… No tengo nada de que hablar contigo… Los libros que te regalé allí siguen… Además de querernos y hacernos muchos arrumacos, ¿qué, Rubén? ¿Qué más?

—Qué más de qué... —musitó el muchacho con los bonitos hombros derrotados, quebrado por la espina dorsal.

—¿Ves? Ni siquiera me entiendes…

—Pues explícamelo, Olga…

—Vuelve al rancho, búscate una ranchera bonita, por allá tenemos muchas… y cásate con ella…

—Estoy casado por la Iglesia contigo…

—Sí… —Olga pensó un momento y concluyó—: Eso fue un error mío. En todo caso, perdóname —y ese «perdóname» fue tan frío que Rubén levantó la mirada que había tenido dirigida a sus zapatos.

14
El regreso de Hans Beimler

APENAS TUVO el acta de divorcio, Olga la metió en su bolso y fue a ver a su hija. La encontró en su recámara y la condujo a la sala. Sentada en la alfombra, Ana le enseñó su libreta de dibujos, explicando en detalle qué era cada uno. Olga hablaba poco, sentada en un pesado sofá de línea anticuada. Estuvo con ella todo el día, para felicidad de la niña que no cesaba de preguntar:

—No te vas a ir ya, ¿verdad?

No pudo mentirle y la estrechó contra su pecho:

—Estaré más tiempo... Pero muy pronto vivirás conmigo, hija.

Llegaron de la escuela Francisco y Sergio. El primero terminaba la primaria, el segundo la secundaria. Soltaron sus libros y dando gritos brincaron sobre Olga, que se dejó caer en el sofá. Luego de permitirles algunos arrumacos, los mandó a lavarse las manos para comer. Comió con ellos, poco, sin hambre, pero los acompañó.

Hacia las cuatro, llegó Otilio.

—Le traigo un papel —dijo Olga— ¿Pasamos a su despacho?

—Ah, en el despacho... Luego es algo importante.

Subieron. Olga con las piernas flojas sin saber el motivo. Apenas entraron y el general se hubo sentado con su escritorio de por medio, Olga, de pie, sacó el acta de divorcio y se la entregó sin palabras. Otilio la vio por encima y se la devolvió.

—¿Me puedo llevar ahora mismo a mis hijos?

El general se levantó y fue hacia la ventana, cruzó los brazos sobre el pecho, los bajó, los cruzó por la espalda y se volvió hacia Olga:

—Ni ahora, ni nunca.

—¡Otilio! ¡Tú me dijiste...! —comenzó Olga con voz enardecida por la furia, pero no pudo continuar.

—No sé qué haya entendido usted, Güera; pero usted no está capacitada para educar a mis hijos. Aquí tienen disciplina y, claro, también cariño, pero disciplina es lo que nunca han recibido. Ana es voluntariosa, sus caprichos me enervan, pero ha ido cediendo poco a poco. Usted arruinaría mi trabajo con ella... Por eso la llora tanto: porque usted le concede cuanto pide, y eso nunca ha sido bueno para la educación de una niña. Francisco es rebelde y no se arredra ante los golpes, le he puesto varias buenas enderezadas y parece que algo he conseguido, en la escuela ha mejorado un poco, pero reprueba materias, repite cursos... Usted echaría todo a perder con sus mimos...

Olga lo escuchaba derrumbada en el brazo de un sillón, como una muñeca de trapo se fue deslizando hasta el asiento y metió la cabeza entre sus manos:

—Lo tenías planeado, Otilio, lo premeditaste. Ya me habías engañado una vez con tus maquinaciones para darme primero un amante y luego un marido... Tú lo propusiste y yo caí... Y ahora volví a caer... ¡Soy una estúpida! ¡Si ya me lo habías hecho!

—Caíste con Rubén sin mucho trabajo, Olguita, sin mucho trabajo... Bien contenta que regresabas de su cama para meterte en la mía...

—Sí... Rubén me gustaba... Y me enamoré...

—Eso no estaba convenido.

—Entonces ¿por qué exigirme de tantas formas que me casara con él? «Ande, Güerita, por mí no hay ni habrá problema, debe casarse por la Iglesia para que dejen de murmurar...» ¡Como si a mí me importara un comino de las murmuraciones que puedan correr en un pueblo mocho y rabón!

—Puedes buscar varias explicaciones: una que te estaba poniendo a prueba, otra que... tal vez, quise adelantarme... Preví el futuro, ni siquiera un futuro muy lejano, uno a pocos años: tú con treinta años y yo con setenta... Una mujer es una vorágine de hormonas y deseos a los treinta años, como un hombre a los veinte... Y no me refiero únicamente al sexo simple y llano... Está la piel, el olor... Te ofrecería la piel de un anciano y quizá, podemos suponer, quizá no quise admitir el papel de cornudo que me esperaba... No lo sería si tenías mi permiso... Para ser cornudo hay que ser engañado y tú no me engañarías, tendríamos un acuerdo, un trío armonioso y convenido...

—Me rebasas, Otilio: tu inteligencia es diabólica, me rebasa y me deja sin salidas: ahora resulta de que has sido un hombre tan bondadoso que piensa hasta en mis necesidades sexuales... Tu inteligencia la diriges al mal, tienes un alma torva, tanto que ahora hasta culpable soy... Sí, sí, eso dices: mi culpa es no haber comprendido el magnánimo acuerdo que me proponías y haber sido la egoísta que sólo piensa en ella. Ya destruí mi matrimonio, el verdadero, no el que tuve contigo por salir de esa casa dominada por una mujer enferma… No, no… destruí mi verdadero matrimonio, y te lo refriego en la cara para que te duela: el hombre que amé se llama Rubén. Conseguiste que lo amara y luego también me llevaste a… no diría que a odiarlo, no odio a Rubén, pero me lo sacaste del corazón: ya no lo quiero. Y mira lo que le has hecho: es tu sobrino, es un muchacho católico, creyente, como no somos ni tú ni yo, y mientras yo viva no podrá casarse… Debería ponerme un tiro, deberías ponérmelo tú, Otilio…

—Ya, ya «Isabelita»… No lo hurtas, lo heredas. Ya con frecuencia te aparece el tono de tu madre.

Olga se levantó con un zumbido de abejas dentro de la cabeza, sin ver claro ni oír. Así bajó las escaleras y salió entre los llamados de sus hijos a los que no respondió porque pasó entre ellos como por sombras.

Salió y echó a caminar sin rumbo. Pero sus pasos fueron guiados por las potencias malignas invocadas por Otilio y terminó en brazos de Isabel, sollozando las dos al unísono, mesándose ambas los cabellos.

Cuando llegó Eugenio, a quien Isabel envió recado con un taxista vecino, que por las noches se integraba a un mariachi, encontró a dos mujeres de ojos enrojecidos y mirada perdida.

—Papá —musitó Olga casi inaudible—. Ya no tengo marido, ni amor, ni hijos…

POR NINGÚN motivo aceptó volver a vivir con Isabel: sabía lo que era eso. Olga tomó de su ex suegra, María, la idea de una casa de huéspedes. Buscó en renta una casa amplia y encontró una de seis recámaras y dos baños, con jardín al centro, también en la colonia Roma, firmó el contrato, vendió un conjunto de amatistas, collar y aretes, para comprar camas, lamparitas de noche y algunos tapetes, y se anunció en *El Universal* como casa de huéspedes con desayuno, pues no pensaba ponerse a guisar comidas y cenas.

El general no obtuvo tampoco una embajada, dos presidentes lo habían tenido relegado, y decidió volver al pueblo con sus tres hijos: quería alejarlos de Olga. Ya venía el fin de cursos, en noviembre, así que recogió sus papeles escolares para inscribirlos al año siguiente en Tepatitlán.

Otilio chico, que le seguía rentando a Isabel la casita en la colonia de los Doctores, pasó a visitar a Olga. Habían conservado magnífica relación amistosa y podía escucharla tardes enteras relatar los diversos pasos del general Zubieta que la habían llevado a donde estaba. A ella le servía el repaso, encontraba detalles, giros, tonos de Otilio que le daban sentido a hechos que parecían dictados por el humor. En tales ocasiones, la voz de Olga era plana, sin emoción, un simple dictado de experiencias ocurridas a otra mujer. Había soterrado el dolor bajo una gruesa máscara en la que ningún músculo delataba alteración del ánimo ni del alma. Al escucharla en silencio, Otilio chico le hizo una confesión muy íntima:

—Lo mismo intentó con mi madre... Por eso ni siquiera pongo en duda tus palabras, Olga.

—¿Cómo, Oti? ¿A qué te refieres?

—Le insistió por largo tiempo que se hiciera de un amante...

—Pero entonces no tenía el pretexto de su edad.

—No, son de edades muy similares, pero deseaba verla con otro y que luego llegara con él... Sin lavarse... —dijo lo último mirando al suelo y después a la ventana: una tarde gris con amenaza de lluvia.

Olga suspiró profundo, soltó los brazos y con ternura, tomándolo por la barbilla, levantó a Otilio el rostro hundido sobre el pecho.

—¿No lo inventas para consolarme?

—Olga, por favor, no diría algo así de mi padre.

—Sí, discúlpame... Y, tu mamá... ¿qué hizo?

—Se separó de él, volvió con su familia.

—Mira... Oti... Dichosa ella que tenía una familia a dónde volver: yo ni eso, ya sabes lo que fue mi casa...

—Fue el motivo por el que lo abandonó —añadió distraído y pensando en el tema anterior.

—Ahora entiendo lo que me dijo.

—¿Mi mamá?

—Sí. Ella... en la fotografía... La única ocasión en que la he visto... Que me esperaban días muy amargos.

Quedaron en silencio un largo rato, los dos fumando. Olga tosía un poco.

—Pero no te los esperabas tanto —rompió el silencio Otilio.

—Ni la centésima parte, Oti, ni la centésima parte... Y mira, tú, que sentí un frío helado en el pecho al escuchar a tu madre... Una mujer guapa, Oti, con mucha clase.

—Gracias, Olga... No entiendo a mi papá, mira que repetir contigo lo que ya le había causado la separación de mi madre. Y a ti te doró la píldora con eso de la diferencia de edad y «no seré cornudo si es con mi autorización». Pero no tengo idea de lo que le haya dado a mi madre como explicación. Lo cierto es que ella jamás aceptó sus insinuaciones... Digo, discúlpame, Olga, no quise decir...

—Nada, nada, hijo, no me avergüenza admitir que me gustó mucho Rubén... y que lo quise mucho, me sentía profundamente enamorada. Jamás hubiera imaginado que ese amor fuera a reventarse como... como una pompa de jabón... No lo habría creído ni en mil años. Y el cambio me ocurrió en días: me molestaba todo aquello que había hecho su encanto... Rubén... Rubén... Le deseo con todo el corazón que sea feliz, es un hombre bueno, sencillo...

—Y guapísimo, Olga, mi primo hace voltear a las muchachas aquí en México...

—Y eso que lo ven con ese trajecito mal cortado, que si lo vieran a caballo con sus pantalones charros ajustados... Rubén, Rubén —añadió con voz muy triste—... tan guapo, lo quise tanto... Y para lo que le sirvió conmigo... ya ves... Pero, mira, aquí tienes el caso de dos mujeres ante lo mismo... y tu mamá no cayó, antes que aceptar el trío prefirió abandonar a Otilio y volver con sus padres. Yo... ¿qué te puedo decir, Oti? ¿Qué te digo? Ya sabes...

—Te entiendo, Olga: tenías un marido con cuarenta años más que tú, y a un joven guapo allí cerca, y el permiso de tu marido...

—¿Permiso? ¡Qué va, Oti! ¡Exigencia! Usaba un lenguaje que no te pudo repetir para describirme cómo estaría yo con Rubén... Eran unas imágenes, unas palabras... que no te repetiré. Y mucho me lo puso hasta por escrito, en largas cartas totalmente pornográficas cuando venía a México por temporadas... No sabes, hijo, ah, qué expresiones, ¡qué imaginación! Se las di a guardar a mi hermana porque no quería tener en mis manos la tentación de mostrarlas. Un día se las pediré, cuando mis hijos crezcan, para que sepan, por voz de su padre mismo, lo que puede ser que no me crean. Quizá me adelanto, pero tendré problemas con ellos. Ana será feroz. Esas cartas son mi defensa. Pues, mira, tú... Así que también con tu madre quería un tercero en medio... Otilio... ¿Qué tendrás en el alma?

—El problema de mi padre no está en su alma, Olga... En fin, te dejo. Ya nos oscureció. Vendré pasado mañana y... Olga... Eres muy joven y extraordinariamente hermosa: tienes una vida por delante. Deja de darle vueltas al molino —vio la expresión de Olga y añadió—: Sí, ya sé, ya sé, tus hijos, de no ser por eso... Nos vemos, Olga, y no se descuide, no fume tanto.

Le puso un beso en la mejilla y salió cabizbajo: ¿habría hecho mal en contarle a Olga un asunto tan íntimo como el motivo por el que el primer matrimonio de su padre había fracasado?

Volvió a verla un par de días después, como había prometido. Iba acompañado de otro hombre joven. Se lo presentó como Mario, sin mencionar apellidos.

—Acaba de regresar de Alemania, donde hizo estudios de ingeniería —explicó Otilio hijo.

—Tu padre, según supe, tiene por allá un hijo, hermano tuyo de padre y madre, Oti. No lo conocí en aquel viaje que hicimos... Estuve una semana en la que él atendió algún asunto oficial, fue y volvió rápido a... creo que a Praga, o algo así. La siguiente semana estuvimos en París, luego tu padre me despachó de regreso porque iba a estar sola en el hotel... y... y basta porque me desagrada el tema. No pude evitar recordar eso...

Olga les hizo café y pasaron una agradable tarde en la que a Mario se le agrandaban las pupilas con solo ver a Olga.

Al salir, caminando rumbo a Insurgentes, Mario iba silencioso.

—Qué... ¿vas impresionado o nada más distraído?

—Decir «impresionado» es poco, Oti... Ahora entiendo que papá haya enloquecido por ella; si yo perdiera a una mujer así, me tiraría desde el Ángel de la Independencia...

Apenas se puede creer que exista ese grado de belleza en un ser humano real... Es... no sé, no tengo palabras, me dejó mudo. Espero que no se arruine fumando como lo hace... ¿Contaste los cigarrillos? Llenó el cenicero. Pero vista entre humo es aún más etérea, una... No sé, te digo que no tengo palabras. ¿Y por qué no le dijiste que soy ese hijo que estudiaba en Alemania?

—Se lo diré, pero quise ver primero tu reacción.

—Iré a verlo... No está bien lo que le hace. Mañana salgo para Tepa y nada más para hablar con él. No está bien, no, no está bien.

Fue Mario quien consiguió de Otilio que al menos Ana volviera con su madre.

—Si usted quiere vengarse de su esposa, sus motivos tendrá; pero en apenas un par de días que llevo aquí me resulta claro que Ana jamás podrá acostumbrarse a estar sin su madre. Ya era tiempo de que comenzara a llevar una vida normal y no es así: es una niña siempre al borde del llanto por quítame allá estas pajas, es claramente muy infeliz, se lo veo en la carita: nunca la he visto reír y mire que dos días no son mucho, pero no verle a una niña al menos una sonrisa en ese tiempo me da la certeza de que está usted amargando a su hija.

Así fue como Ana volvió con su madre. Pero el daño estaba hecho: día y noche sufría el sobresalto de perderla en cualquier momento. Y ni los meses ni los años le dieron confianza: su madre estaría siempre a punto de desaparecer. Por eso no podía dejar de verla, de vigilarla. En un descuido suyo podría esfumarse otra vez. Eso la volvió insaciable: nunca tendría suficiente presencia de su madre. Y era natural porque estaba tratando de llenar una ausencia en el pasado.

AL MEDIO AÑO de tener de regreso a Ana, llegó un telegrama del general: le exigía a Olga la inmediata devolución de Francisco o emplearía medios legales para la devolución también de Ana.

Olga palideció y acto seguido el corazón se le fue desbocando hasta un punto en que Olga creyó que lo oiría reventar: era que Francisco no estaba con ella. El muchacho había decidido que los golpes para dominar su rebeldía eran ya demasiados. La hora de comer le resultaba un suplicio cotidiano: Otilio le permitía separar cuanto no le gustara: trocitos de cebolla, un nervio o un gordo del bistec, unas zanahorias. Luego le hacía con todo un taco y lo obligaba a comerlo. Si lo comía lento recibía un primer golpe en la cabeza, luego otro si tardaba en tragar el bocado, otro más si decía que le era imposible masticar un nervio duro o un cartílago. Lo golpeaba por volver tarde y lo golpeaba por quedarse dormido y llegar tarde a la escuela. Sus calificaciones eran pésimas. El curso lo reprobó y le costó una paliza mayor.

Entonces huyó. Se fue con lo puesto y con lo poco que la cocinera guardaba en un jarro para los gastos diarios.

Olga, telegrama en mano, fue a pedir consejo a su tío David y a llorar largamente con su tía Pánfila, que sacudía sus caireles al ritmo de los profundos sollozos que apenas contenía con un pañuelito de encaje. Al tío también se le anegaron los ojos, caminó ida y vuelta por su despacho. Se limpió una lágrima en la mejilla, ofreció su pañuelo a su esposa y prometió que contara con que él iba a poner de cabeza el país con avisos ante todas las policías estatales.

—Tráeme una fotografía reciente, Olguita mía... La

mandaré poner en todas las delegaciones de policía y encontraremos a Francisco.

Olga publicó la fotografía en dos diarios de circulación nacional. Vendió su hermoso diamante solitario para afrontar los gastos, entre ellos el de un investigador privado, y por meses esperó en vano algún resultado. Cada semana iba a las casas de Tlalpan, le permitían el acceso en taxi hasta la casa patriarcal y solicitaba la intervención de su tío.

—Hija, ya pasé los datos a la policía, los tiene la judicial y la secreta. Pero... qué te voy a decir... No tenemos idea ni de por dónde comenzar a buscar. ¿Y si estuviera allí cerca en Arandas... en Guadalajara?

—Los parientes de Otilio le habrían avisado... Eso no lo hará nunca Francisco, sabe que lo regresarían con su padre. Y la que le espera: no tío, es que Otilio lo mata.

Tras de unos meses de espera sin sueño, con interminables madrugadas en las que se paseaba por su dormitorio e iba al teléfono para comprobar que estuviera bien colgado y no fuera a ocurrir que alguien llamara sin poderse comunicar, Olga decidió buscar una espiritista que daba consultas en Santa María la Ribera. Salía en ese momento la mujer a toda prisa, pero le dio cita:

—Señora, yo siento en su aura la angustia que vive por su hijo perdido. Venga mañana a mi sesión y en cuanto quede en trance la mediunidad le dirá dónde está su hijo.

Caminó de regreso, sin responder llamadas de taxis que le ofrecían servicio: «Para usté, mitad de precio, Güerita, o nada ya de una vez, súbase». Vio una iglesia y entró. Hincada y con la frente baja, dijo:

—Dios mío, yo sé que existes, yo sé que existes... Y no te entiendo, pero si no quieres que me vuelva espiritista devuélveme a mi hijo... No puedo más, ya te pagué cuanto debía, e hice pagar a inocentes. No hagas pagar también a mi hijo las culpas de su madre. Es que no sé... no sé siquiera si está muerto... ¡Dios! ¡Eso no lo permitas! ¿Él por qué? Aquí estoy yo, aquí me tienes por si acaso es verdad que hay venganza divina, pero a mi hijo déjalo, perdónale la madre que tiene, no me lo enfermes, no me lo regreses tullido... —y se inclinó hasta el suelo, bañada en llanto: al recordar a su padre le cruzó como un relámpago una idea que no se atrevió a añadir en su plegaria, y era que lo prefería muerto.

En dos días recibió una llamada de Colima, la solicitaban por cobrar y Olga aceptó sin vacilación y temblando de angustia: ¿la policía que había encontrado un cadáver con la descripción...? Sacudió la cabeza para espantar la idea. Era un sacerdote: un niño había ido a hacer su confesión mensual, al parecer porque así la acostumbraba, y había dicho que había huido de su casa: «Me escapé del lado de mi padre porque de todo me golpeaba», comenzó en su confesión. El sacerdote lo reconoció: era el de las fotos que salían dos o tres veces por semana en los diarios. Había sobrevivido empleándose en la cosecha de piña. Pero acostumbrado a comulgar los viernes primero de cada mes, buscó un confesor y el sacerdote supo que era el muchacho buscado con tanto afán por la madre. Era jueves por la tarde, se confesaba para comulgar el viernes temprano. «¿Y no te confesaste el mes pasado?», le preguntó. Se acusó de haberlo olvidado por varios meses, aunque sí lo había hecho el mes anterior. Confesaba en ese momento otro sacerdote. Le dijo que había huido de su hogar, y quizá el cura creyó que eso debía guardarse como parte del secreto de la confesión, así que le hizo prometer que volvería a su hogar y asegurarle que estaba arrepentido. Con eso lo bendijo y lo despachó a rezar unas oraciones, su penitencia consistía en volver al lado de su padre. Ahora confesaba también que no había cumplido la penitencia exigida por el anterior sacerdote. El confesor le dio la absolución y ordenó: «Te quedas aquí, conmigo, hasta que termine de confesar». Se asomaba con frecuencia a comprobar que el muchacho siguiera esperando. Terminando sus confesiones, le preguntó con quién quería que lo llevara de regreso. Lo llevó con su madre.

Al día siguiente, el sacerdote estaba en México llevando a Francisco tomado de un hombro, como si previniera otra escapada, una carrera súbita a través de una avenida y él, hombre mayor, sin poder darle alcance. Pero no tenía Francisco ninguna intención de hacer eso. Cuando se detuvo el taxi frente a la casa de Olga, Francisco vio un rostro apenas reconocible en las deformaciones del llanto. Lo abrazó todavía incrédula, largamente, hasta que el niño buscó la respiración que le faltaba. El sacerdote no quiso entrar, pero aceptó el pago de los pasajes y de su regreso a Colima.

Pasado el regocijo materno, lo primero que Olga observó con sus incesantes caricias fue que Francisco estaba lleno de piojos. Fue necesario raparlo y bañarlo durante una semana con jabón para perro.

El general Zubieta cedió ante las evidencias y no reclamó la devolución de los hijos. Sergio, a quien Olga también hubiera querido tener de regreso, escapó de la casa paterna con un recurso más sofisticado. Siendo ya un adolescente que debía entrar a la preparatoria, dijo que el llamado de Dios lo conducía al seminario. Inició su formación como jesuita. Pero el llamado de Dios no duró mucho y Sergio abandonó el seminario con una buena formación en filosofía y fue un gran hombre.

APENAS TUVO a sus hijos de nuevo reunidos, Olga perdió a su padre. Eugenio amaneció muerto en el cuartito de velador, con el rostro hundido en la almohada. Ya había dicho que sufría un dolor en el pecho y que el remedio era ése: hundir un momento el rostro en la almohada y lentamente desaparecía. Olga se reprochó no haber apresurado los arreglos de una habitación que estaba disponiendo para su padre en la casa de huéspedes que le permitía ganarse la vida. Matilde se reprochó no haber tenido el valor de llevarlo consigo a Mina de Plata, el terror a la reacción de su madre la había paralizado.

Isabel sobrevivió muchos años a su marido y a los setenta y tres murió de cáncer que le comenzó en la piel, en el cuero cabelludo, e hizo metástasis al colon, quizá por las muchas Píldoras del Dr. Ross. Vivió sus últimos años con Matilde, en un cuarto independiente, con su baño y una terracita. Hacía al menos veinte años había vuelto a tener piano propio, un pequeño y barato Strauss. En sus últimos días, ya inmovilizada en cama, Matilde la escuchó cantar, muy bajito, apenas audible, voz de moribunda. Se aproximó en silencio: no, no era la *Serenata* de Schubert, que habría puesto un toque de elegancia al suplicio, sino una canción mexicana muy popular que de inmediato llevó a Matilde hasta Tono Gallardo: le cantaba a Tono toda su infelicidad y la convicción de que con él pudo ser feliz, pero sólo había habido sombras «entre tu amor y mi amor», decía la canción de Isabel, casi inaudible entre las embestidas del cáncer. «Entre ellos, ¿sólo hubo sombras?». Y Matilde la quiso como no la había querido nunca antes. Cuando el joven médico que atendía a Isabel extendió una nueva receta con más sangre y más sueros,

Matilde le preguntó, sabiendo sin duda alguna la respuesta, si eso curaría a su madre, y mostró el papel garrapateado. «No», dijo el médico; «pero yo estudié para prolongar la vida». Matilde lo acompañó silenciosa al cancel de aquella vieja casa todavía de patio y macetas. Cerró sin llave y rompió la orden médica, subió al cuarto de su madre y le pidió: «Canta, mamá».

Olga llegó para acompañarla en sus últimas horas y los hijos de Matilde vieron con terror que los genes habían saltado el abismo y su tía era dada a, digamos, rebajas, saldos, trío de cuerdas en vez de orquesta wagneriana, pero allí estaban los genes. Y, por ende, hasta en ellos: jugaban matatenas riendo cuando Olga se les apareció, desencajada: «¿Será necesario que traiga ante ustedes las sábanas ensangrentadas de mi madre o su cadáver torturado por el cáncer para que dejemos de oír risas en esta casa que debía estar de luto?» Estaba frente a ellos la abuela Isabel en todo su esplendor. Como la energía, los genes son eternos.

El general Otilio Zubieta pasó sus últimos años sentado en un equipal, engordando más, en su casa de Tepa, atendido por sus hermanas, todas de negro desde sus juventudes y todas vírgenes. Murió dejando a sus hijos, a unos y a otros, extensas tierras que ellos se apresuraron a vender en cuanto recibieron una buena oferta: no querían campo. Olga se repitió, como siempre, al recibir la noticia, que había bajado «a los más apretados infiernos», pero, curiosamente, incluyó en su firma un «Vda. de Zubieta» que, quizá, estampaba con cierto gozo no muy secreto.

Matilde quemó las cartas de Otilio para Olga sin consultárselo. Cuando se las pidió le dijo sencillamente: «Ya no existen, Olguita, la venganza no es buena, y ensuciarías la mente de tus hijos con tanta porquería». Sigue perfectamente sana, camino de los noventa años, a lo cual han colaborado eficazmente sus dos o tres brandies «don Pedrito», como le dice a su bebida con agua y mucho hielo, disfrutados «al quebrar el día», o sea nunca antes de las doce porque eso se ve mal, y sus varias copas de vino tinto. Aún intenta tocar *La primera caricia* y *El lago de Como*, en donde, hace ya unos decenios, estuvo por primera y única vez.

Epílogo

EL FINAL DE su vida no pudo ser más anticlimático para Olga: en un segundo viaje a Europa, de los que ya se hacían en avión, con cuarenta años y pico llevados estupendamente bien, quisieron las tres Moiras hijas de la Noche, tejedoras de destinos con la rueca, el globo y la balanza, ofrecer a Olga una segunda oportunidad con Hans Beimler. También a su regreso, y también con escala en Nueva York, le tocó en el asiento inmediato un alto ingeniero bostoniano que hablaba un español casi perfecto, salvo que decía «Quiero que vienes», «Para que no tienes frío»: los errores de Hans, los ojos de Hans y, como Hans, la vio y la quiso junto a sí para siempre, para todos sus años venideros, que fueron muchos. Olga había aprendido a fumar para darse valor en las reuniones de altos políticos cuando era la perla que el general Zubieta mostraba con orgullo, y su segundo regreso de Europa ocurrió en tiempos en los que todavía se fumaba en los aviones. Así que, apenas se apagó encima la prohibición en letras luminosas, sacó un cigarrillo y, al instante, tuvo enfrente la flama de un encendedor. Miró al cortés y sonriente hombre de sienes canosas y ambos supieron que pasarían el resto de sus vidas juntos. Aquel caballero de la Nueva Inglaterra fue tan perfecto marido que, para sorpresa de Olga, cuando ella se levantaba para salir de la habitación, él corría a abrirle la puerta. Olga no tocaba las manijas de sus puertas sino cuando estaba sola.

Lo sobrevivió por unos años que quizá no deseó. Había aprendido a fumar para ocultar su timidez, a veces su ignorancia. Pero le tomó fervor y llegó a liquidar tres cajetillas diarias. Por supuesto se produjo un enfisema pulmonar, pero la mató a edad tan avanzada, que no habría valido la pena privarse de ese gusto por unos años más de vejez solitaria y sin belleza, sufriendo ese ayuno con tal de distraer las tijeras de oro de la inflexible Átropos. Hizo bien.

Siguiendo las indicaciones de Olga, Ana arrojó sus cenizas al mar luego de adentrarse en aguas profundas a bordo de una lancha alquilada sin mencionar el propósito. Cuando abrió el ánfora y la vació a las olas, un golpe de viento le llenó el rostro con quién sabe qué partes de aquel cuerpo amado. Quizá la mano que debía tener entre las suyas para conciliar el sueño.

Índice